試験・実務に役立つ!

地方公務員法の要点

第11次改訂版

米川謹一郎［編著］

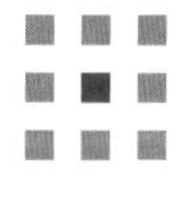

学陽書房

序

現代は,「地方の時代」といわれるように, 21世紀へ向けて, 地方の創造的な発展が競って推進されていく時代である。地方自治が果たすべき役割は, 極めて大きい。

地方公共団体がこの時代の要請によく応えうるか否かは, 実際に行政を担当する地方公務員諸氏が, いかに情熱を傾け, いかに能力を発揮するかにかかっている。地方公務員の資質の向上と能力開発のための絶えざる努力が, 強く求められるゆえんである。

このたび学陽書房から発刊される「要点シリーズ」は, 地方公務員として修得すべき各分野ごとに, コンパクトに要点を整理し解説したもので, 多くの地方公務員にとって非常に便利なものであると思う。

執筆陣は現に地方自治にたずさわっている新進気鋭の諸君で, 本シリーズが自治体職員の手で成ったことは, 大変に喜ばしい。

本書が, 地方自治体の今後の発展に大いに寄与することを期待している。

昭和55年6月

東京都知事　鈴 木 俊 一

第 11 次改訂に当たって

本書は，昭和 55 年の発刊以来，自己啓発用に，あるいは研修用にと，幸いにも多くの読者の方々に歓迎されました。その後，地方公務員法をはじめ関係法令の改正等に合わせて，10 回の改訂を行ってまいりました。

今回の主な改訂内容は，定年延長と管理監督職勤務上限年齢制についてです。法の施行日は，令和５年４月１日ですが，新たに講（第 62 講）を設けて記載しています。また，法改正後の根拠条文を〈　〉内に示しています。したがって，第 62 講以外の講は，令和４年４月１日現在の制度について述べています。

本書が，引き続き皆様に活用され，何かとお役に立つことができれば幸いです。

なお，今回の改訂は，前回と同様に，他界した米川に代わり横田が任に当たりました。

最後に，学陽書房編集部の宮川純一氏，土田萌氏をはじめ多くの方々にお世話になりました。厚くお礼を申し上げます。

令和４年２月

横 田 明 博

はしがき

“組織は人なり”といわれます。どんなに立派な組織がつくられ，大量の資金や機材が用意されていても，これらを十分に使いこなせるかどうかは，そこに働く“人”次第であるといえます。

地方公務員法は，地方自治法とともに，地方公共団体の行政の民主的かつ能率的な運営を保障するための，自治体職員に関する基本的制度を定めた法律です。

本書は，地方公務員法及び関係法令の解釈と運用について，基本的あるいは重要な事項を解説したものであり，地方自治運営の重責を担う職員の制度的側面を明らかにしたものであります。

ところで，昭和55年に本書を刊行した後，時代の要請を受け，制度の根幹に係る法改正などがありました。第一次改訂版におきましては，①定年制の導入（昭和60年3月31日施行），②いわゆる男女雇用機会均等法の制定に伴う母性保護規定の拡充及び母性保護を除く女子保護規定の緩和を内容とする労働基準法の改正（昭和61年4月1日施行），③公的年金一元化を目指す地方公務員等共済組合法の改正（昭和61年4月1日施行），④1週間の法定労働時間を40時間とすることに向けての段階的な短縮，変形労働時間制等の導入を内容とする労働基準法の改正（昭和63年4月1日施行）であり，それらの改正内容を取り入れました。

今回の改訂におきましては，①労働時間短縮の第二段階として，1週間の法定労働時間をそれまでの46時間から44時間へとする改正（平成4年4月1日施行），②全職員を対象とする育児休業制度の実施（平成4年4月1日施行），③完全週休2日制の実施（早い地方公共団体で平成4年7月1日施行）について述べるとともに，一部加筆修正を行い，アップ・ツウ・デートを期しています。

地方公務員法については，今枝信雄氏の「逐条」や鹿児島重治氏の「逐条」など多くの名著が刊行されており，本書の執筆に当たっては，貴重な教えをいただきました。

最後に，怠けがちな私たちを終始励ましてくださった学陽書房編集部の皆さんに心からお礼申し上げます。

平成４年７月

執筆者代表　米川謹一郎

目　　次

人事評価

給与，勤務条件等

福祉及び利益の保護

職員団体

補　則

【凡例】 法令名等の略語は，次のとおりである。

育休法：地方公務員の育児休業等に関する法律
教特法：教育公務員特例法
憲法：日本国憲法
公選法：公職選挙法
国公法：国家公務員法
自治法：地方自治法
自治令：地方自治法施行令
地教行法：地方教育行政の組織及び運営に関する法律
地教行令：地方教育行政の組織及び運営に関する法律施行令
地共法：地方公務員等共済組合法
地公法：地方公務員法
地公災法：地方公務員災害補償法
地公企法：地方公営企業法
地公労法：地方公営企業等の労働関係に関する法律
地方独法：地方独立行政法人法
法：地方公務員法
労基法：労働基準法
労基則：労働基準法施行規則
労組法：労働組合法
労調法：労働関係調整法

最判：最高裁判所判決
行実：行政実例

例　法 22 の３①：地方公務員法第 22 条の３第１項を示す。
〈改正附則４〉：令和３年改正（令和５年４月１日施行）後の附則第４条を示す。

試験・実務に役立つ！

地方公務員法の要点

① 地方公務員制度の歴史

1 前 史

我が国の公務員制度は，太平洋戦争の敗戦と日本国憲法の制定（昭22.5.3施行）により画期的な変革を遂げた。それまでは「天皇の官吏」であり，国家への忠誠と無定量の奉仕とが最大の任務とされていた。

近代国家として，政治行政機構の基本を定めた大日本帝国憲法（明22）は，10条で「天皇ハ行政各部ノ官制及文武官ノ俸給ヲ定メ及文武官ヲ任免ス」と，また，19条で「日本臣民ハ法律命令ノ定ムル所ノ資格ニ応シ均ク文武官ニ任セラレ及其ノ他ノ公務ニ就クコトヲ得」と規定した。

官吏の服務については，明治20年制定の官吏服務紀律1条が，「凡ソ官吏ハ天皇陛下及天皇陛下ノ政府ニ対シ忠順勤勉ヲ主トシ法律命令ニ従ヒ各其職務ヲ尽スヘシ」と定めていた。

また，現在と異なり，「地方公務員」という概念はなく，都道府県の主な職員は官吏であった。地方団体固有の職員としては，都道府県，市及び町村の吏員が存在し，官吏に準じた制度が設けられていた。地方団体職員の多数を占める雇傭人，嘱託等は私法上の雇傭契約により勤務するにすぎなかった。

2 日本国憲法と地方自治法の制定

昭和20年8月15日を境に，我が国の政治行政制度は一変したが，特に地方公務員制度にとっては，日本国憲法と地方自治法（昭22.5.3施行）の制定が，制度確立の根拠となったのである。

国民主権主義，全体の奉仕者である公務員，地方自治の本旨に基づく地方公共団体の組織及び運営，そして，地方公共団体の長及びその議会の議員の直接選挙制が憲法に定められた。これを受けた地方自治法は，選任又は就任に当たって特別の手続を必要とする職員（議員，長，副知事及び副市町村長等）及びそれ以外の職員について規定することにより，我が国初の包括的な地方公務員の法制が確立したといえる。

しかし，この段階は，地方自治の組織法の性格を持つにすぎず，身分法を中心とした統一的基本法の制定が必要とされていた。

3　地方公務員法の制定

昭和21年9月，地方長官（都長官，県知事等）の天皇任命制から公選制への改革と同時期，政府は地方制度調査会を設け，地方団体の吏僚制度についての諮問を行った。また，同年11月には対日合衆国人事行政顧問団（フーバー・ミッション）が来日し，国家公務員制度についての調査検討が行われていた。

国家公務員法が昭和22年に制定され，旧警察法（昭22）及び消防組織法（昭22）の制定により，警察職員及び消防職員が地方公務員になった。教育職員については，教育委員会法（昭23）及び教育公務員特例法（昭24）で定められた。

このように，日本国憲法を基本に，地方公務員に関する関係法令が順次整備される中で，昭和25年12月13日「地方公務員法」が制定され，地方公共団体に勤務するすべての職員の統一的基本法が誕生したのである。これによって，地方自治の根幹をなす法制度が，確立したのである。

その後，社会経済情勢の進展とともに，特別法の制定あるいは基本法の一部改正が行われ今日に至っているが，その主なものは次のとおりである。

昭和27年，地方公営企業法及び地方公営企業等の労働関係に関する法律が制定され，地方公営企業の職員についての制度が確立し，単純労務職員の暫定的扱いが定められた。

昭和29年，警察法の制定により，警察職員の制度が改められた。

昭和31年，地方教育行政の組織及び運営に関する法律が制定され，教育委員会制度が改められた。

昭和60年，地方公務員法の一部改正により，定年制が施行された。

平成15年，地方独立行政法人法が制定された。

2 地方公務員制度の基本理念

1　近代的公務員制度の確立

地方公務員法は，日本国憲法の原理である国民主権主義にのっとって，民主的で科学的な近代的公務員制度を確立することを基本理念とし，これを直接の目的としている。近代的公務員制度は，歴史的変遷と社会的背景に基づいて具体化されてきたものであるが，今日では次の原理によって構成されていると考えられている。

2　近代的公務員制度の構成原理

（1）　全体の奉仕者性　日本国憲法15条2項は，「すべて公務員は，全体の奉仕者であつて，一部の奉仕者ではない。」と規定している。これを受けて地方公務員法30条は，「すべて職員は，全体の奉仕者として公共の利益のために勤務し，且つ，職務の遂行に当つては，全力を挙げてこれに専念しなければならない。」と定めている。公務員は，その地位の根拠が究極において信託者である国民の意思にかかっていることと国民全体に奉仕することを基本的な性格として持っていることは，これらの関係から明らかである。

（2）　勤労者性　旧憲法の下での官公吏は，天皇に対する絶対的忠誠が要求されるとともに身分関係においても天皇に従属する「天皇の官吏」であった。そして，官公吏の受ける俸給は，その職にふさわしい体面を維持するために国家又は地方公共団体から下賜される給付である，とされていた。これに対して，近代的公務員制度における公務員は，無定量の奉仕関係に立つものではなく，法令等の定めにより労務を提供し，その対価として報酬を受け，これによって生計を維持する勤労者である，と考えられている。このことは，公務員が日本国憲法28条の「勤労者」の中に含まれることについて，学説・判例ともほとんど異論のないことからも明らかである。しかし，労働基本権については，私企業の勤労者と異なって制限を受けている。その理由としては，「全体の奉仕者性」「職務の公共性」等に特殊性があるため，とされている。

（3） 成績主義（メリット・システム）　成績主義は，職員の採用・昇任・昇給等の措置を受験成績，人事評価その他の職務遂行能力の実証に基づいて行う制度であり，猟官主義（スポイルズ・システム）に対立する制度である。猟官主義は，職員の採用等を党派的利益，政治的功績等によって行う制度である。このことは，行政を私物化することにつながる。このような経験から成績主義の採用とその確立は，近代的公務員制度に不可欠な条件の一つとされている。地方公務員法は，公務の平等取扱い及び能力実証主義（法13，15）を規定している。

（4） 政治的中立性　近代的な政治体制は，政治的意思の決定に当たる政務職とその決定に基づいて行政の執行に当たる行政職とは機能的に分化していることを前提にしている。その理由は，行政の安定性，継続性，更には能率性を確保することと行政職を政治的な影響力から分離することによってその身分上の利益を保護し，保障しようと意図していることである。したがって，法は全体の奉仕者としての基本的性格を維持し，公正な行政運営を確保するため，職員の政治的行為に一定の制限を加えている（法36）。

（5） 能率性　地方公務員法は，地方公共団体の民主的かつ能率的な運営の保障を目的にしている（法1）。このことは住民の福祉の増進に当たって最少の経費で最大の効果を挙げるようにする（自治法2⑭）という意味も含まれている。そのためには地方公務員制度が民主的な制度であるとともに，科学的で合理的な基礎によって裏づけられた能率的な制度である必要がある。

3 地方公務員制度の法体系

地公法２

1 分 類

地方公務員法は，近代的な地方公務員制度を確立するための統一的な基本法である。したがって，職員の身分取扱いについて適用される法令の中心は地方公務員法であるが，それ以外にも職員に適用される多くの法令がある。

地方公務員制度に関する諸法令を大別すると組織法，身分法，特例法及び地方公共団体の自主立法の四つに分けることができる。しかし，その区分に従って分類された各法令は，専らその区分に関する事項を規定しているわけではない。

2 組織法

組織法は，地方公共団体の議会の議員，長及び行政委員会の委員とその補助職員の設置，つまり，地方公務員の設置を定めた法令である。

（1） 地方自治法　地方公共団体の議会の議員（の定数），議会事務局の職員，知事・市町村長，副知事・副市町村長，会計管理者，職員，議会事務局長と書記その他の職員，選挙管理委員と書記その他の職員及び監査委員と書記その他の職員等について規定している（自治法第６章，第７章）。

（2） 地方教育行政の組織及び運営に関する法律　教育委員会の教育長，委員，事務局の職員及び学校その他教育機関の職員等について規定している。

（3） 警察法　都道府県公安委員会の委員及び警察官，その他の職員等について規定している。

（4） 消防組織法　消防長，消防職員及び消防団員について規定している。

（5） 地方独立行政法人法　地方公共団体が設立する地方独立行政法人の組織，業務運営，財務・会計等について規定している。

（6） その他の組織法　農業委員会等に関する法律は，農業委員会の委員等について，地方税法は，固定資産評価審査委員会の委員等について規定している。このほかにも土地収用法，漁業法，労働組合法は，それぞれの委員会の委員について規定している。

3　身分法

身分法は，地方公務員の任免，給与，分限，懲戒，服務等その身分に関する取扱いを定めた法令である。

（1）地方公務員法　地方公共団体の人事機関，一般職と特別職との区分，一般職に属する者の任用，人事評価，給与，勤務時間その他の勤務条件，分限等人事行政に関する根本基準について規定している。

（2）地方自治法　特別職に属する者の定数，任命の方法，任期，兼業の禁止，離職等について規定している。

（3）その他の身分法　地方教育行政の組織及び運営に関する法律は，学校その他の教育機関の職員の身分取扱いについて，警察法は，地方警察職員の任用，勤務条件，服務等について規定し，また，地方独立行政法人法は，特定地方独立行政法人の役員及び職員は地方公務員の身分を有すること等の特例を定めている。

4　特例法

地方公務員法は，人事行政の根本基準を確立するために定められた基本法である（法1）が，地方公共団体には多数かつ多種に及ぶ職員がいる。そこで，その職務と責任の特殊性に対応するために地方公務員法の特例を定める法律が必要になる。地方公務員法は，公立学校の教職員等を例示して特例法の制定を認めている（法57）。特例法の主なものは，教育公務員特例法，地方教育行政の組織及び運営に関する法律，警察法，消防組織法，地方公営企業法，地方公営企業等の労働関係に関する法律等がある。

5　地方公共団体の自主立法

地方公共団体は，行政需要・財政規模等において多様である。また，人事行政は，各団体の内部事務である。これらの理由から地方公務員法は，職員に関する事項等について各地方公共団体の条例にゆだねている（法5）。それらの自主立法には，人事委員会（公平委員会）設置条例，職員の定数に関する条例，職員の給与に関する条例，職員の勤務時間に関する条例等がある。

④ 地方公務員法の特例

地公法１，57

１　特例を定める目的

今日，住民のニーズは複雑・多様化し，それに応えるために地方公共団体の役割はますます増大し，一口に地方公務員といってもそれぞれの行政に携わる職員の職務内容と責任は，専門技術的なものから単純なものに至るまで，実に様々なものとなっている。そのため，これらの者を一律に同じ法規律の下に置くことは，かえって適正な人事行政の運用を期しがたく，ひいては地方公共団体の行政の民主的かつ能率的な運営に支障をきたすおそれがないとはいえない。そこで地方公務員法は，職員のうちその職務と責任の特殊性に基づいて特別の規定を必要とする場合には，１条の根本精神に反しない限度で特例法を定めることができる旨を明らかにした。

法律が，一般法を前提として必要に応じて特例を定めること自体は，法理論的には当然のことである。にもかかわらず，地方公務員法57条があえて設けられたのは，地方公務員法が一方で地方自治の本旨の実現に資することを目的とすると同時に，他方，それが地方公務員の基本的人権の尊重・確保を図ることを主要な内容としていることにかんがみ，特例を定めることについては法律以外の法形式を排除するとともに，特例そのものも，１条に定める根本精神に反することができないものであることを明らかにする点にその意義があると考えられる。

なお，57条は，特例を定めることのできる職員として公立学校の教職員，単純な労務に雇用される者その他これに準じる者を挙げているが，本条の趣旨に照らせば，特例の制定をこれらの者に限定するものではない。

２　特例を定める法律

職員のうち，その職務と責任の特殊性に基づき，地方公務員法に対する特例を必要とするものについては，別に法律で定めることとしている（法57）。

ここでいう特例を定める法律には，教育公務員特例法，地方公営企業等の労働関係に関する法律のように，その法律の規定の全部が特例をなすものと，地方公営企業法，警察法，消防組織法のように，その法律の規定の一部が特例をなすものとがある。

3　主な特例法

（1）　教育公務員特例法　　公立学校の学長・校長及び教員等の任免，分限，懲戒，服務，研修等の特例を定めている。例えば，公立学校の教育公務員については，地方公務員法36条の規定にかかわらず，国家公務員の例により政治的行為の制限が行われること等である。

（2）　地方教育行政の組織及び運営に関する法律　　教育委員会の設置や県費負担教職員の任用等の身分取扱いについて規定している。

（3）　警察法　　警察の管理運営及び組織について定めており，その中で地方警察職員の任免，勤務条件，服務等について規定している。

（4）　消防組織法　　消防職員，消防団員の任命等について規定している。

（5）　地方公営企業法　　地方公共団体が経営する水道事業や鉄道事業等の企業の組織や財務について規定するほか，地方公営企業の職員の身分取扱い，給与等に関する特例を定めている。例えば，地方公営企業の職員には，地方公務員法の政治的行為の制限，勤務条件に関する措置要求，不利益処分に関する審査請求，職員団体の規定が適用されないこと等である。

（6）　地方公営企業等の労働関係に関する法律　　地方公営企業の職員，特定地方独立行政法人の職員及び単純労務職員の労働関係について特例を定めている。

（7）　地方独立行政法人法　　地方公共団体が設立する地方独立行政法人の組織，業務運営，財務・会計等について規定するほか，特定地方独立行政法人の役員及び職員は地方公務員の身分を有すること等の人事管理について特例を定めている。例えば，勤務条件は，特定地方独立行政法人が給与の支給基準や勤務時間等に関する規程を定めて設立団体の長に届け出ること，職員には，地方公務員法の政治的行為の制限，勤務条件に関する措置要求，不利益処分に関する審査請求，職員団体の規定が適用されないこと等である。

（8）　その他　　以上のほか，例えば，地方公営企業の職員，特定地方独立行政法人の職員及び単純労務職員については，一般職員には適用除外となっている労働組合法や労働関係調整法が適用される。

⑤ 地方公務員の範囲

地公法3

1　地方公務員の範囲

日本国憲法は，「地方公共団体の長，その議会の議員及び法律の定めるその他の吏員は，その地方公共団体の住民が，直接これを選挙する。」（憲法93②）と定めている。地方自治法は，議員，知事及び市町村長，副知事及び副市町村長，会計管理者，職員並びに各種委員について規定している。そして，地方公務員法は，地方公務員とは，地方公共団体及び特定地方独立行政法人の全ての公務員をいうと規定している（法3①）。

地方公共団体には，普通地方公共団体である都道府県及び市町村と特別地方公共団体である特別区，地方公共団体の組合及び財産区がある（自治法1の3）。

また，地方独立行政法人法47条は，特定地方独立行政法人の定義（地方独法2②）を受け，「その役員及び職員は，地方公務員とする。」と規定している。なお，特定地方独立行政法人とは，地方独立行政法人のうち，その業務の停滞が，住民の生活，地域社会・地域経済の安定に直接かつ著しい支障を及ぼすため，又はその業務運営における中立性・公正性を特に確保する必要があるため，その役員・職員に地方公務員の身分を与える必要があるものとして設立団体が定款で定めるものをいう（地方独法2②）。

2　地方公務員であるかどうかの判断基準

地方公務員の範囲は極めて広い。また，事務の内容，勤務の態様等も多種多様である。これらのことから具体的に地方公務員であるかどうかを判断し，決定する場合が問題になる。通常，次の3点が判断の基準とされている。

（1）　事務の性質　　その者の従事している事務が地方公共団体の事務であるかどうか。

（2）　雇用の性質　　地方公共団体の公務員としての任命行為が行われているかどうか。

（3）　報酬の性質　　地方公共団体から勤務の対価としての報酬を受け

ているかどうか。

この三つの基準のいずれにも該当している場合は，一応，地方公務員であると判断してよいものと考える。しかし，例えば，民生委員は，都道府県知事の推薦によって厚生労働大臣が委嘱することとされ（民生委員法５①），名誉職で報酬も支給されないが（同法10），地方公務員であるとされている（行実昭26.8.27）。また，国の事務として行われる指定統計（現行の基幹統計）調査事務に従事する者であっても，地方公共団体の長が任命するものは，当該地方公共団体の特別職の地方公務員とされている（行実昭35.9.19）。

これとは逆に，地方公務員ではないとされているものに，明るく正しい選挙推進協議会委員がある（行実昭43.6.20）。

これらの事例にみられるように，前述の三つの基準は絶対的なものではない。特定の者が地方公務員であるかどうかを判断し決定するためには個々の場合について具体的に検討する必要がある。検討の素材として，①　事務の性質との関連では，地方公共団体の事務（自治法２）に該当しているが，事務処理の方法として私法上の委託，委任等の関係があるかどうか。②　雇用の性質との関連では，当該地方公共団体の事務の補助執行者であるかどうか，指揮・命令等の服務関係があるかどうか，名誉職・ボランティアの要素はないか。③　報酬の性質との関連では，謝金的要素はないか等が考えられる。

国の場合は国家公務員であるかどうかの決定権は人事院にある（国公法２④）。

地方公共団体の場合にはこのような規定はない。そこで，この点に関する決定は任命権者が行うものと解されている。

なお，都道府県警察職員のうち警視正以上の階級にある警察官は，一般職の国家公務員であって地方公務員ではない（警察法56①）。

⑥ 地方公務員類似の職員

地公法３

１　地方公務員の範囲

地方公共団体の全ての公務員は，地方公務員である（法３①）。しかし，憲法，地方自治法及び地方公務員法を通じて，地方公務員を明確に概念づける規定はない。そこで，事務の性質，雇用の性質及び報酬の性質の三基準を考慮して判断するのが有用であるとされる。しかし，実際にはなかなか判断のしにくい場合がある。国家公務員であるかどうかは人事院が決定するが（国公法２④），地方公務員についてはこのような規定がないので，任命権者が決定せざるをえない。

２　地方公社の法的性格

国の政策遂行としての公共的事業を営むためそれぞれの特別法に基づいて設立された特殊法人は，管理運営についても，国の指導監督に服する面がある。

地方公共団体においても，その事務の一部を分任する「地方公社」が設立されているが，これらは一般社団法人，一般財団法人，公益社団法人若しくは公益財団法人又は株式会社となっている。また，勤労者のための住宅建設の業務を行うものについては地方住宅供給公社法（昭40）が，有料道路の施設管理等を行う地方道路公社については地方道路公社法（昭45）が，公共用地の先買いを行う土地開発公社については公有地の拡大の推進に関する法律（昭47）が，それぞれ制定されている。

３　地方公社の職員

地方公社の職員には，地方公共団体から出向してきている者が多い。したがって，地方公社の職員も地方公務員であると考えられがちであるが，先の三つの基準に照らして判断する必要がある。

（１）　事務の性質　地方公社の成立過程からみれば，本来的には地方公共団体の事務であったが，その事務が地方公社に移された以上，地方公社独自の事務とみるべきである。

（２）　雇用の性質　地方公社は独立法人であり，地方公社の任命行為により，地方公社の職員となるので，地方公共団体との関係はないとするのが建前である。しかし，実際には，地方公共団体が職員を派遣している場合が多い。平成14年4月1日に「公益法人等への一般職の地方公務員の派遣等に関する法律（現行の「公益的法人等への一般職の地方公務員の派遣等に関する法律」）」が施行されるまでは，退職・再採用，職務専念義務の免除，休職又は職務命令の運用で対応していた場合が多かった。しかし，これらの方法は問題が多かったので，法制度の整備が行われた。

（3）給与の性質　地方公共団体から出資又は補助金を受けていても，地方公社の予算でもって，地方公社の職員に対し，給与が支給される。

したがって，派遣の場合を除き，地方公社の職員を地方公務員とするのは無理である。

4　法令の適用

（1）　地方住宅供給公社法20条等は，「役員及び職員は，〔中略〕法令により公務に従事する職員とみなす。」と規定している。これは，刑法その他の罰則の適用についての規定であり，刑法7条1項の「この法律において「公務員」とは，国又は地方公共団体の職員その他法令により公務に従事する議員，委員その他の職員をいう。」の「法令により……」を指している。

（2）　地方公務員等共済組合法144条の3は，地方住宅供給公社等の職員は，常勤の地方公務員とみなして共済組合の組合員となることを定めている。なお，同法140条は，「公庫等職員」となるために退職した職員の特例扱いを定めている。

⑦ 地方公務員の種類

地公法３

１ 一般職と特別職

地方公務員の職は多種にわたるとともに，職務の内容，勤務の態様も多様であり，その範囲も広い。地方公務員の職については，職務の性質と内容，勤務の態様，選任の方法等の観点からこれを分類することができる。地方公務員法は，地方公務員の職を一般職と特別職とに区分している（法３①）。そして，特別職の職を限定列記し（法３③），特別職に属する職以外の一切の職を一般職であるとしている（法３②）。

２ 特別職の種類

（１） 住民又はその代表者の信任によって就任する職　これは住民の公選又は地方公共団体の議会の選挙，議決，同意等を得て就任する職のことである（法３③Ⅰ）。具体的には，地方公共団体の議会の議員及び長（自治法17），副知事及び副市町村長（自治法162），選挙管理委員会の委員（自治法182①），監査委員（自治法196①），教育長（地教行法４①），教育委員会の委員（地教行法４②），人事委員会又は公平委員会の委員（法９の２②），公安委員会の委員（警察法39①）等がこれに当たる。

（２） 非専務職　これは地方公共団体の事務に専ら従事するものではなく，一定の知識経験に基づいて，随時，地方公共団体の業務に参画する者又は他に生業を持っていることを前提として特定の場合にのみ地方公共団体の業務を行う者のいわゆる職業的でない公務員のことである。具体的には，審議会等の臨時又は非常勤の委員，顧問，参与，調査員，嘱託員及び非常勤の消防団員や水防団員並びに選挙における投票所の投票管理者等がこれに当たる（法３③Ⅱ，Ⅲ，Ⅲの２，Ⅴ）。

（３） 自由任用職　これは特定の知識経験，人的な関係又は政策的な配慮のもとに任命権者が任意に任用する職のことである。具体的には，地方公営企業の管理者，企業団の企業長及び地方公共団体の長，議会の議長等の秘書の職で条例で指定するものがこれに当たる（法３③Ⅰの２，Ⅳ）。

3　一般職の種類

（1）　常勤職員と非常勤職員　　これは常時勤務することを要する職員と常時勤務することを要しない職員との区別である。常勤の職員については，条例で定数を定めなければならない（自治法172③）とされている。非常勤職の設定に当たっては，就けようとする職務の内容，勤務形態等に応じて設定すべきである。任用に当たっては，特別職非常勤職員とは適用される法令関係が異なることに鑑み，任用される職員に対して法律上の任用根拠及びその位置付けを明示すべきであり，任期を限った任用を繰り返すことで，事実上常勤職員と同様の勤務形態を適用させるようなことは避けるべきである。また，非常勤職員の給与，勤務時間，休暇等の勤務条件については，条例で定める（法24⑤）こととされている。服務については，地方公務員法の服務に関する各規定が適用される。

（2）　職務の種類による分類　　一般職の職員は職務の内容によって，一般行政職員，教育公務員，警察職員，消防職員，企業職員，単純労務職員等に分けることができる。一般行政職員以外の職員については，地方公務員法57条の規定を根拠として各種の特例法が定められている。

国家公務員の場合には，ある職が特別職であるか一般職であるかの決定権は人事院にある（国公法2④）。しかし，地方公共団体の場合には，この種の規定がない。そこで，任命権者が決定することになると解されている。

（3）　吏員とその他の職員　　平成18年の地方自治法の改正により，吏員制度が廃止され，「職員」に統一された。この区別は，戦前の公吏と雇用人との区別に由来するもので，吏員は，公法上の身分関係を保有して専ら公務に従事する者とされ，その他の職員は，私法上の雇用関係にある者とされていた。しかし，地方公務員法は，職中心の制度を採用しており，身分上の区別をしていないので，改正されたものである。

8 一般職と特別職

地公法3，4

1 一般職と特別職とを区分する重要性

地方公務員法は，地方公共団体及び特定地方独立行政法人の全ての地方公務員の職を一般職と特別職とに区分し（法3①），一般職に属する全ての地方公務員に適用することになっている（法4①）。したがって，地方公務員の職の一般職と特別職との区分は，地方公務員法の適用関係を決定することになり，両者の区分には重要な意義がある。

2 一般職と特別職とを区分する場合の基準

地方公務員法は，特別職に属する職を列記し（法3③），特別職に属する職以外の一切の職を一般職である，と規定しているにとどまっている（法3②）。つまり，一般職の定義及び種類並びに特別職と判断することができる基準等について明文の規定がない。そこで，両者を区分する意義，法の規定等を考えると，一般職と特別職とを区分する基準が必要である。両者を区分する際の判断基準としては，通常，次の２点が挙げられる。

（1） 成績主義の原則の適用の有無　一般職の地方公務員は，原則として受験成績や人事評価に基づいて採用，昇任等の身分取扱いが行われる。つまり，成績主義の原則が全面的に適用されることが前提になっている。これに対して，特別職の地方公務員は，住民の選挙，議会の議決，任命権者の特別の信任又は特別の知識経験等によって就任又は任用される。ここでは地方公務員法の成績主義の原則の適用は，必ずしも前提になっていない。

（2） 終身職としての性格の有無　一般職の地方公務員は，臨時職員のような例外を除いて，通常，終身職であるとされている。このことは正規の職員として任用された以後は，分限処分又は懲戒処分等の特定の事由に該当しない限り，その者の意思に反して免職させられない（法27）（ただし，定年による退職（法28の2）を除く。），とあるように身分が法律によって保障されていることからも理解できる。これに対して，特別職の地方公務員は，一定の任期，雇用期間に限って就任又は任用されることが前提となる。つまり，終身勤務することは予定されていない。また，地方公務員法３条３項３号に規定されている臨時又は非常勤の顧問，参与等が特別職であるとされた理由について「恒久的でない職又は常時勤務することを必要としない職であり，かつ，職業的公務員の職でない点において，一般職に属する職と異なるものと解せられる。」とされている（行実昭35.7.28）。

３　一般職と特別職とを区分する実益

一般職の職員は，成績主義の原則の適用を受ける職業的公務員として，継続的に地方公共団体の事務に従事することが予定されている。

一方，特別職は，公選又は地方公共団体の議会の選挙，議決若しくは同意によって就任する職（法３③Ⅰ）である。いわゆる政務職と呼ばれるものである。これらの職に属する者に資格，任用等の制度や人事（公平）委員会の制度を適用することは，その職の特性や選任の方法からみて適当でない。

また，一定の知識経験に基づいてある一定の場合にのみ地方公共団体の事務に参画する審議会の委員等（法３③Ⅱ，Ⅲ）に，常勤の一般職に適用される勤務条件等の基準を適用すると適材を得ることができない等の不都合が予想される。更に，特別な信任関係によって職に就くことを予定している秘書の職（法３③Ⅳ）に成績主義を導入した任用方法を適用することも不適当であろう。

以上のような点から，一般職の職員と特別職の職員を区分する実益は，職の特性に応じて，それぞれにふさわしい適用法体系を定めることができる，ということにある。

9 任命権者

地公法6，58の2，58の3

1　任命権者と任命権行使の対象

地方公共団体の主な任命権者と任命権行使の対象は，次のとおりである。

（1）**都道府県知事**　副知事・会計管理者等の補助職員，監査委員，人事委員会等の委員，教育委員会の教育長及び委員，地方公営企業の管理者並びに公立大学の学長・教員・部局長等

（2）**市町村長**　副市町村長・会計管理者等の補助職員，監査委員，人事（公平）委員会等の委員，教育委員会の教育長及び委員，地方公営企業の管理者並びに公立大学の学長・教員・部局長等

（3）**議会の議長**　議会の事務局長，書記長，書記その他の職員

（4）**選挙管理委員会，代表監査委員又は監査委員，人事委員会又は公平委員会，市町村の農業委員会**　それぞれの委員会又は委員の事務局の職員

（5）**教育委員会**　教育長，教育委員会及び学校その他の教育機関の職員（ただし，県費負担教職員の任命権は，都道府県の教育委員会にある。）

（6）**警視総監又は道府県警察本部長**　警察官その他の職員

（7）**市町村の消防長又は消防団長**　消防職員又は消防団員

（8）**地方公営企業の管理者**　地方公営企業の職員

（9）**特定地方独立行政法人の理事長**　特定地方独立行政法人の職員

2　長の総合調整権

任命権は，長及び長から独立した各行政委員会又は委員等に属している。そこで，各任命権者間の組織及びその運用について均衡を図るため，長に総合調整権が付与されている。権限の内容は，各執行機関の組織，職員の定数，職員の身分取扱いについて勧告することができることと，組織及び職員の身分取扱い等に係る規則，規程の制定，変更について事前協議を義務づけていることである（自治法180の4）。

3　任命権以外の権限

地方公務員法６条１項は任命権以外の権限について「人事評価，休職，免職及び懲戒等」と定めている。人事評価とは，任用，給与，分限その他の人事管理の基礎とするために，職員がその職務を遂行するに当たり発揮した能力及び挙げた業績を把握した上で行われる勤務成績の評価をいう。休職は，職を保有した状態で職務に従事させない分限処分の一種である（法27②）。免職には，分限免職（法28①）と懲戒免職（法29②）とがある。分限免職は，公務の能率的遂行を目的にしたものであり，懲戒免職は，服務義務違反に対してその道義的責任を追及するものとされている。そのほかに職務命令を発する権限（法32），営利企業への従事等の許可（法38）等がある。

4　任命権の委任

任命権者は，任命権の一部を補助機関である上級の地方公務員に委任することができる（法６②）。これは組織の規模等を理由とする組織管理上の観点から権限と責任を補助機関に分配することによって，事務の能率化と簡素化を考慮したものである。この委任は，任命権者が法律に基づいて，その権限を補助機関に委譲する，いわゆる公法上の委任である。このように法律を根拠とした権限の委譲であるので，受任者が更に複委任することはできないと解されている（行実昭27.1.25）。

任命権者から権限の委任を受けることができる「上級の地方公務員」については，当該地方公共団体の実態と社会通念によって相対的に判断すべきであるとされている。

5　人事行政の運営等の状況及び等級等の職員数の公表

任命権者は，毎年，地方公共団体の長に対し，職員（臨時的に任用された職員等を除く。）の任用，人事評価，給与，勤務時間その他の勤務条件，休業，分限及び懲戒，服務，退職管理，研修並びに福祉及び利益の保護等人事行政の運営の状況並びに等級及び職制上の段階ごとに職員数を報告しなければならず（法58の２①，58の３①），また，地方公共団体の長は，毎年，それらの報告を公表しなければならない（法58の２③，58の３②）。

⑩ 人事委員会及び公平委員会

地公法７，９の２

1　設置の趣旨

地方公共団体の行政は，地方自治の本旨に基づいて，民主的，能率的かつ公正に運営されなければならない。そこで，長から独立した合議制の専門的な人事機関として，地方公共団体の規模に応じて，人事委員会又は公平委員会を置くものとされている。すなわち，①都道府県及び指定都市は，人事委員会を置く。②指定都市以外の市で人口15万以上のもの及び特別区は，人事委員会又は公平委員会を置く。③人口15万未満の市町村及び地方公共団体の組合は，公平委員会を置く（法７①～③）。また，事務の簡素化，効率化のため，④公平委員会を共同で設置できること及び⑤公平委員会の事務処理を他の人事委員会に委託することができる（法７④）。

2　委員の積極的資格要件

委員が具備していなければならない積極的要件は，人格が高潔であること，地方自治の本旨に理解があること，民主的で能率的な行政運営に理解があること及び人事行政に識見を有すること，とされている（法９の２②）。

3　合議制

委員会は，３人の委員によって構成される合議制の行政機関（行政委員会）である（法９の２①）。合議制としたことについては，不利益処分を理由とする審査請求に対して裁決をするという準司法的権限を行使すること，公平かつ専門的な立場から審議するとともに政治的中立性を確保することが考慮されたものである。

4　独立性

委員会は，その職責上，地方公共団体の長から機構のうえで独立した地位が与えられる必要がある。

（1）　委員の選任方法　　委員は，議会の同意を得て，地方公共団体の長が選任する，とされている（法９の２②）。これは，委員の選任に議会を関与させることによって，長の恣意性の排除を図るとともに独立した地位を保障するためと解されている。

（2）　委員の身分保障　　委員の任期は4年である（法9の2⑩）。委員は，次の各号に該当するときのほか，その意に反して罷免され，失職することがない。①　罷免事由には，㋐　委員のうち2人以上が同一の政党に属することとなったとき（法9の2⑤）。㋑　委員が心身の故障のため，職務の遂行に堪えないと認めるとき，又は職務上の義務違反その他委員たるに適しない非行があると認めるとき（法9の2⑥）がある。②　失職事由には，欠格条項に該当することとなったとき（法9の2⑧）がある。③　罷免事由に該当する委員を罷免する場合においても，罷免するためには議会の同意が必要である（法9の2⑤，⑥）。このうち，特に㋑の場合の罷免に当たっては，議会の常任委員会又は特別委員会において公聴会を開かなければならない（法9の2⑥後段）。このように，委員の罷免事由を法に明記するとともに，罷免手続についても議会の同意等を定めることによって委員の身分と委員会の独立性とを強く保障している。

5　中立性

（1）　委員会の政治的中立性　　委員の選任については，そのうちの2人が同一の政党に属することとなってはならない，とされている（法9の2④）。そして，委員の2人以上が同一の政党に属することとなった場合は，罷免するものとする，と定められている（法9の2⑤）。

（2）　委員の兼職の禁止　　委員は，地方公共団体の議会の議員及び当該地方公共団体の地方公務員の職を兼ねることができない（法9の2⑨）。これは，委員の職務の政治的中立性と特に公平事務を処理する場合の公平性を確保するためである。

（3）　委員の服務　　人事委員会の委員は常勤又は非常勤とされ，公平委員会の委員は非常勤とされている（法9の2⑪）。常勤の人事委員会の委員の服務については，職員の服務に関するすべての規定が準用されている。非常勤の人事委員会の委員及び公平委員会の委員については，職務専念義務と営利企業への従事等の制限に関する規定とを除き，職員の服務に関する規定が準用されている（法9の2⑫）。これは，委員の服務を一般職の職員と同様に扱おうとする趣旨である。なかでも政治的行為の制限に関する規定の準用は，そのことによって委員会の政治的中立性を保障するものにほかならない。

⑪ 人事委員会又は公平委員会の権限・議事

地公法8，11

1　概　要

人事委員会は，人事行政の能率性，科学性及び公平性の保障を目的とする人事行政機関である。人事委員会には，地方公務員法8条1項等により権限が付与されており，その権限を性質によって分類すると，行政的権限，準司法的権限及び準立法的権限（規則制定権）となる。

公平委員会は，人事行政の公平性の保障を前提として，公平な人事権の行使と職員の利益の保護を目的とする人事行政機関である。公平委員会の権限は，地方公務員法8条2項等に定められている。その内容は，準司法的権限，これに伴う準立法的権限及び限定された行政的権限である。

2　行政的権限

（1）　人事委員会のみに属する行政的権限　　これには，①　人事行政に関する調査，人事評価・給与等の研究（法8①Ⅰ，Ⅱ），②　職員等に関する条例の制定，改廃に係る意見の申出（法5②，8①Ⅲ），③　人事行政の運営，給与・勤務時間その他の勤務条件，研修，勤務条件の措置要求に関する勧告（法8①Ⅳ，Ⅴ，26，39④，47），④　給与の支払の監理（法8①Ⅷ）。⑤　職員の採用・昇任のための競争試験及び選考（法8①Ⅵ，17の2，18，21の4）。ただし，特例として公平委員会が実施できる場合がある（法9）。⑥　採用候補者名簿・昇任候補者名簿の作成・提示（法21，21の4④），⑦　臨時的任用の承認・取消し（法22の3①，③），⑧　労働基準監督機関の職権の行使（法58⑤）がある。

（2）　人事委員会・公平委員会に共通する行政的権限　　これには，①　管理職員等の範囲の決定(法52④)。②　団体の登録,登録の効力の停止,登録の取消し，解散の届出の受理（法53⑤，⑥，⑨，⑩）がある。

3　準司法的権限

これに関する両委員会の権限は同一である。その内容は，①　勤務条件に関する措置の要求の審査等（法8①Ⅸ，②Ⅰ，47）。②　不利益処分についての審査請求に対する審査（法8①Ⅹ，②Ⅱ，49の2①，50）。③　職員団体の登録の取消しの審理（法53⑥）である。

4　準立法的権限

両委員会は，法律又は条例の規定を根拠として，それぞれの権限に属する事項について委員会規則を制定することができる（法8⑤）。

（1）　地方公務員法の規定により，人事委員会規則で定めることとされている事項　これには，①　人事委員会が委任する権限の範囲（法8③），②　任命の方法の基準（法17②），③　選考により採用できる職（法17の2①），④　職制の改廃等により離職した職員の復職要件等（法17の2③），⑤　採用試験の受験者の資格要件（法19），⑥　採用候補者名簿の作成，これによる採用（法21⑤）。ただし，競争試験等を行う公平委員会においては公平委員会規則。⑦　条件付採用期間の延長（法22），⑧　臨時的任用の承認基準・資格要件（法22の3①，②），⑨　営利企業に従事等することについての任命権者の許可の基準（法38②）等がある。

（2）　地方公務員法等の規定により，人事委員会又は公平委員会の規則で定めることとされている事項　これには，①　委員会の議事手続等（法11⑤），②　勤務条件の措置要求に関する審査・判定の手続及び措置（法48），③　不利益処分に関する審査請求の手続・措置（法51），④　管理職員等の範囲（法52④）等がある。

（3）　条例の規定により，人事委員会規則で定めることとされている事項　これには，①　等級別定数，②　初任給・昇格・昇給等の基準，③　給与の支給方法，④　勤務時間及び休暇，⑤　分限及び懲戒の手続，⑥　職務専念義務の特例等がある。

以上のように，両委員会の権限を比較すると，その差異は行政的権限及び準立法的権限にある。そして，公平委員会の権限は，準司法的権限の行使に伴って必要とされる行政的権限及び準立法的権限に限定されている。

5　人事委員会又は公平委員会の議事

人事委員会又は公平委員会は，３人の委員が出席しなければ会議を開くことができないが，公務の運営等に著しい支障が生じる場合は，２人の委員の出席でよい（法11①，②）。議事は，過半数で決する（法11③）。

⑫ 平等取扱いの原則

地公法13

1 意 義

日本国憲法14条1項は，「法の下の平等」を規定している。これを受けて，地方公務員法13条は，「全て国民は，この法律の適用について，平等に取り扱われなければならず，人種，信条，性別，社会的身分若しくは門地によつて，又は第16条第4号に規定する場合を除くほか，政治的意見若しくは政治的所属関係によつて，差別されてはならない。」と定めている。この規定は，一般職の地方公務員の勤務関係を定めた「職員に適用される基準」の「通則」であり，任用・勤務条件等を規律する基本理念である。

平等取扱いの原則は，「この法律の適用について」とある。そこで，この差別禁止事由を例示的事由と解すると，どのような事由であっても差別的取扱いをすることは原則的に許されないことになる。しかし，憲法14条及び地方公務員法13条は，「国民に対し絶対的な平等を保障したものではなく，差別すべき合理的な理由なくして差別することを禁止している趣旨と解すべきであるから，事柄の性質に即応して合理的と認められる差別的取扱をすることは，なんら右各法条の否定するところではない。」（最判昭39.5.27）としている。

地方公務員制度において，例えば，政治的行為の制限について一般職員又は教育公務員若しくは地方公営企業の職員を差別していること，職員の勤労基本権について警察職員，消防職員又は地方公営企業の職員を差別していることなどは，合理的な差別であると解されている。

2 差別禁止事由の解釈と合理的・非合理的差別

（1）「全ての国民」 ここで問題になるのは，外国人を一般職の地方公務員に任用できるか，という点である。これに関連するものとして，① 外国人は「国民」に含まれない（行実昭26.8.15）。② 外国の国籍を有する者を，一般職の地方公務員に任用することについては，国内法上制限規定がないので，原則として差し支えない（行実昭27.7.3）。③ 重要な決定権を持つ管理職への外国人の就任は，日本の法体系の下で想定されておらず，外国籍公務員に対し管理職試験の受験を拒否しても憲法に反しない（最判平17.1.26）がある。したがって，個々に検討する必要がある。

（2）**「人種」**　人間の人類学的な種類である。

（3）**「信条」**　宗教上の信仰・教義を意味することばであるが，思想上・政治上の信念・主義を含むと解されている。

（4）**「性別」**　男女の別である。一般事務職員の採用を男子のみに限ることは，合理的理由に乏しく，差別的取扱いと解される。

また，雇用の分野における男女の均等な機会及び待遇の確保等に関する法律（いわゆる男女雇用機会均等法）により，募集・採用の機会の付与と配置・昇進・教育訓練の取扱いとにおける男女差別については，禁止されている。したがって，職員の採用に際し，性別のどちらかに限定して，あるいは男女別の採用予定人数を設定して募集を行うことは禁止される。ただし，守衛や警備員等防犯上の要請から男性に従事させることが必要な職については，適用が除外される（同法10①の指針）。

更に，女性であることを理由として男性と異なる定年を定めることは，民法90条に反し無効であるとする民間企業における判例（最判昭56.3.24）にかんがみると，職員の場合は，差別的取扱いになるものと考えられる。

（5）**「社会的身分」**　資本家・労働者・学生等の広く人が社会において占めている地位をいうものとされる。

（6）**「門地」**　生まれ，家柄などである。

（7）**「第16条第5号に規定する場合」**　憲法又はその下に成立した政府を暴力で破壊することを主張する団体を結成し，又は加入した者である。国家を否定することになるので，平等取扱いの保障規定の適用が除外されている。

（8）**「政治的意見」**　政治に関する具体的な見解である。

（9）**「政治的所属関係」**　政治団体に所属し，又は所属しないことである。しかし，差別禁止事由を例示的列挙と解すると，とりわけ信条・政治的意見・政治的所属関係それぞれの意味と区別を論ずる実益はない，とする指摘がある。

⑬ 情勢適応の原則

地公法 14，24

1 意 義

地方公務員法は，職員の勤務条件について，社会一般の情勢に適応するように，随時，適当な措置を講じるべきことを地方公共団体に義務付けている（法 14①）。この規定は，一般職の地方公務員の勤務関係を定めた「職員に適用される基準」の「通則」である。また，人事委員会は，随時，講ずべき措置について，地方公共団体の議会及び長に勧告することができる（法 14②）。

したがって，給料表に関する人事委員会の勧告（法 26）及び勤務条件に関する措置の要求の審査の結果に基づく人事委員会，公平委員会の措置等（法 47）の場合に限らず，この法律の運用に当たっては常に考慮されなければならない原則である。

日本国憲法 28 条は，「勤労者の団結する権利及び団体交渉その他の団体行動をする権利は，これを保障する。」と規定している。そして，このいわゆる労働基本権の保障を前提として，労働基準法２条１項は，「労働条件は，労働者と使用者が，対等の立場において決定すべきものである。」と定めている。しかし，職員の労働基本権には，次のような制約がある。

（1） 警察職員及び消防職員は，労働基本権のすべてが禁止されている（法 52⑤）。なお，長年の懸案となっていた消防職員の団結権に関しては，地方公共団体の消防本部ごとに消防職員委員会を設け，職員の意思疎通を図る（消防組織法 17）ことになっている。

（2） その他の職員（地方公営企業の職員，特定地方独立行政法人の職員及び単純労務職員を除く。）は，団結権，制約された団体交渉権は認められているが，団体協約を締結する権利は除かれており（法 52③，55），争議権も否定されている（法 37）。

職員の労働基本権の制約又は禁止をしたうえで，地方公共団体の議会，長及び人事委員会の関与によって，給与，勤務時間その他の勤務条件が条例により定められることになっている。そして，職員の労働基本権の禁止又は制限と給与等の決定の方式とを考えると，地方公務員法14条の規定は，労働基本権を制約した代償的保障措置とみることができる。したがって，地方公共団体は，給与等の決定については社会情勢に適応するよう弾力的な措置をとることが要請されるのである。

2 「社会一般の情勢」及び「適当な措置」

（1）「社会一般の情勢」　職員の給与は，生計費並びに国及び他の地方公共団体の職員並びに民間事業の従事者の給与その他の事情を考慮して定めなければならない（法24②）。また，職員の勤務時間その他職員の給与以外の勤務条件を定めるに当たっては，国及び他の地方公共団体の職員との間に権衡を失しないように適当な考慮が払われなければならない（法24④）とされている。更に，国家公務員と地方公務員を比較したとき，職員の職務の性質，社会的地位及び労働環境等に類似性がある。

これらの理由から，第一次的には国家公務員及び他の地方公共団体の職員の勤務条件等が，第二次的には民間事業の従事者の労働条件や物価の変動，生計費等が，社会一般の情勢の変化を判定する際の基準になる，とされたのである。これに対して，地方公務員法24条２項の「考慮して」と同条４項の「権衡を失しないよう」とされている文言上の明確な相違は無視されるべきではない，とする指摘がある。

（2）「適当な措置」　適当な措置とは，職員の給与等の決定にかかわる地方公共団体の各機関が情勢の変化を認識して，それぞれの権限に基づいてとるいろいろな措置をいう。その例としては，①　人事委員会が職員の勤務条件について調査を行い，その成果を地方公共団体の議会又は長に報告若しくは勧告すること。②　地方公共団体の長が，人事委員会の報告若しくは勧告によって，又は自らの判断によって勤務条件に関する条例の改正案及びその実施に必要な予算を議会に提出すること。③　議会が勤務条件の改正案及びこれに係る予算を審議し，議決すること等がある。

⑭ 任用の根本基準

地公法 15

1　成績主義の原則

職員の任用は，この法律の定めるところにより，受験成績，人事評価その他の能力の実証に基づいて行わなければならない（法 15）。

任用とは，任命権者が特定の人を特定の職員の職に就けることをいう。任用の方法には，採用，昇任，降任又は転任があり（法 17①），例外的には臨時的任用の方法（法 22 の 3①）がある。

近代的地方公務員制度は，公務員の任用に政治的な介入や上司等の恣意を排除するため，「受験成績，人事評価その他の能力実証」による任用という，成績主義（メリット・システム）の原則を根本基準としている。情実任用は，スポイルズ・システムと呼ばれる。

任用の根本基準として成績主義の原則が定められているのは，第一は人材の確保と育成，第二は人事の公正の確保という，二つの理由によるものである。

2　能力実証の方法

（1）　受験成績　　職員の採用は，人事委員会（競争試験等を行う公平委員会を含む。以下この講において同じ。）を置く地方公共団体においては，競争試験によるものとされ，例外として選考（競争試験以外の能力の実証に基づく試験をいう。）によることができる（法 17 の 2①）。人事委員会を置かない地方公共団体においては，競争試験又は選考によるものとされている（法 17 の 2②）。職員の昇任は，昇任させる職について昇任のための競争試験（昇任試験）又は選考が行われなければならない（法 21 の 4①）。これらの競争試験又は選考の受験結果により，その成績の上位者から採用又は昇任するのが原則である。

（2）　人事評価　　任命権者は，職員の執務について定期的に人事評価を行うこととされ（法 23 の 2①），必要により臨時に行うこともできる。人事評価の基準及び方法に関する事項その他人事評価に関し必要な事項は任命権者が定める（法 23 の 2②）が，それには，勤務実績のほか執務に関連してみられた性格，能力，適性などが含まれており，その結果を基にして任用が行われる。

（3）　その他の能力実証　　教員，医師，薬剤師，看護師，保健師，自動車運転手等法律に基づく免許制度がある場合に，その免許を有すること，あるいは特定の職務に関して一定の勤務経歴を有すること，一定の学歴を有すること等公務遂行能力を有すると認めるに足る客観的な事実があることをいう。

3　平等取扱いの原則

全て国民は，この法律の適用について，平等に取り扱われなければならない（法13）。平等取扱いの原則は，職員の任用について，特に重要である。

このことは，「採用試験は，人事委員会等の定める受験の資格を有する全ての国民に対して平等の条件で公開されなければならない。」（法18の2①）として具現化している。また，受験資格について，人事委員会は，職務の遂行上必要であって最少かつ適当な限度の客観的かつ画一的な要件を定めるものとされている（法19）。

受験資格について，行政実例（行実昭28.6.26）では，例えば警察官には男性のみ，看護婦（現在，看護師）には女性のみとすること，へき地に勤務する職員についてはその近辺の居住者，内部昇任試験については一定の勤務年数を定める，等の限定をすることは，それが当該職務の遂行上必要な最少かつ適当な限度の客観的かつ画一的要件と認められる限り，差し支えないものとされているが，この行政実例は，いわゆる男女雇用機会均等法の趣旨から見直されるべきである。

4　その他

（1）　不利益取扱いの禁止　　職員団体（労働組合）に加入し，その活動を行っても，それが適法なものであれば，任用に当たって不利益な取扱いを受けることはない（法56，労組法7Ⅰ）。

（2）　成績主義の適用除外　　職によっては，成績主義を適用することが適当でないものがある。そのため，そのような職は特別職に分類され，成績主義の適用は除外される。

⑮ 任用の意義と法的性質

地公法 15，17，22 の 3

1　任用の意義

地方公務員法は，「任命」（法 6①，17①等）及び「任用」（法 15 等）の二つの用語を使っている。この両語とも特定の人を特定の職員の職に就けることを意味するが，前者が職に就ける権限ないしは権限を行使する行為に重点を置くのに対して，後者は職に就くことないしは引き続き就いている状態に重点を置いているものとされる。地方公務員制度が，各種の職の有機的組織体であると考えれば，当該の職への充当が任命である。また，それを身分を保有する者の有機的結合体と考えれば，まず公務員としての身分の付与があり，次に当該の職務の担当が命じられる。現行制度は，前者の観念に立っているものとされるが，実際の公務員制度の運用をみるとき，後者がより妥当することは否めないといえる。いずれにしろ，両語は，同義の概念と解してよい。

2　任用の方法

任用の方法には，正式任用と臨時的任用との２種類がある。正式任用は，職員の職に欠員を生じた場合にこれを補充するために行う原則的な方式である。その方法は，採用，昇任，降任又は転任のいずれかである（法 17①）。正式任用については，受験成績，人事評価その他の能力の実証に基づいて行わなければならないことが定められている（法 15）。臨時的任用は，緊急の場合，臨時の職に関する場合又は任用候補者名簿がない場合に，人事委員会（競争試験等を行う公平委員会を含む。以下この講において同じ。）の承認を得て行う例外的な方式である。したがって，任用の期間は６月を超えないものとされているが，任命権者において任用期間を延長する必要があると認めた場合は，人事委員会の承認を得て，６月以内に限って１回だけ更新することができる（法 22 の 3①，④）。臨時的任用については，競争試験又は選考の方法による能力の実証は必要としていない。しかし，適格者の任用を確保するという観点から，人事委員会は任用される者の資格要件を定めることができるとされている（法 22 の 3②）。

3　任用行為の法的性質（特に採用について）

（1）　公法上の契約説　地方公共団体と公務員になろうとする者との双方の意思の合致によって成立する雇用契約の一種である。しかし，民間企業における雇用契約と違うところは，公務員が全体の奉仕者として服務その他について公法上の制約を法令又は条例等によって受ける点である。したがって，公法上の契約であるとする考え方である。この説の特徴は，任用行為を地方公共団体と職員との合意を前提としているが，私法上の雇用契約と分けて公法上の契約としている点にある。

（2）　一方的行政行為説　公益上の目的のために，特定の者を公務に就かせることが適当であると判断した場合は，本人の意思にかかわらず，一方的に職員の地位を付与することができるとする考え方である。この説の特徴は公益上の観点から公務の優越性を強調するところにある。しかし，かつての兵役のような特殊な場合を除いて，妥当する余地はない。

（3）　相手方の同意を要件とする行政行為説　任用行為そのものは，任命権者の意思表示である行政行為によって成立する。しかし，一般の行政行為と違うのは，相手方の同意を必要とする行為であるとする考え方である。この説の特徴は，公益上の観点から行政庁に優越的な意思の行使を認めることを前提として，本人の同意を要件としている点にある。

（4）　公務員労働契約説　労働力を提供した対価として給与の支給を受ける点において，公務員も民間企業に働く勤労者と同じである。また，公務員関係の成立には，両当事者の意思の一致を必要とする。したがって，基本的には対等当事者の労働契約と異なるものではない。しかし，公務員の全体の奉仕者性から私的労働契約と異なる特殊の取扱いを認めているとする考え方である。この説の特徴は，任用行為の公権力性を否定し，一般労働法の基本原理を基礎として任用行為を解釈している点にある。

以上の４説のうち第３説が，現在においては通説的見解とされている。

4　採用内定の法的性質

判例は，任命を行政行為とみて，採用内定は，将来，任命行為を支障なく行うための事実上の準備行為に過ぎず，法的拘束力を持った行政処分ではない（最判昭57.5.27）としている。

⑯ 欠格条項

地公法16

1　意　義

公務員の職は広く国民に公開されなければならない（法18の2）が，国民の中には，公務に就かせることが適当でない者がいる。このため，地方公務員法は，職員となること又は職員となるための競争試験若しくは選考を受けることができない者を定めている。すなわち，それは資格を欠くことであり，欠格条項と呼ばれる（法16)。欠格条項に該当する者を任用した場合は，法律上不能の行為であって，無効である。

2　法の定める欠格条項

（1）　禁錮以上の刑に処せられ，その執行を終わるまで又はその執行を受けることがなくなるまでの者（法16Ⅰ）　禁錮以上の刑とは，死刑，懲役及び禁錮の刑をいう（刑法9，10①)。

「刑に処せられ，その執行を終わるまでの者」とは，刑の言渡しを受け，その刑が確定したときから刑の執行が終わるまでの期間内にある者をいう。

また，「その執行を受けることがなくなるまでの者」とは，刑の言渡しを受けたにもかかわらず，その執行を受けず，しかも，刑の時効が完成しない者，刑の執行猶予中の者等をいう。

（2）　当該地方公共団体において懲戒免職の処分を受け，当該処分の日から2年を経過しない者（法16Ⅱ）　服務義務に違反して懲戒免職になった者は，全体の奉仕者にふさわしくない。しかし，処分事由にもいろいろあり，処分後における本人の反省に期待することができるので，2年という期間を限ったものといえる。なお，懲戒処分を受けて2年を経過しない者であっても，当該処分を受けた地方公共団体以外の地方公共団体の職員となることは差し支えない（行実昭26.2.1)。

（3）　人事委員会又は公平委員会の委員の職にあって，第60条から第63条までに規定する罪を犯し刑に処せられた者（法16Ⅲ）　中立的かつ専門的人事行政機関である人事委員会又は公平委員会は，人事行政上極めて重要な職責を担っている。したがって，これら委員会の委員が地方公務員法に定める罪を犯し，刑に処せられるということは重大問題である。すなわち，この場合には，委員としての職務上の義務違反その他委員たるに適しない非行があったものとして，罷免の事由に該当する（法９の２⑧）が，更に職員となる資格をも失うとしたのである。

（４）　日本国憲法施行の日以後において，日本国憲法又はその下に成立した政府を暴力で破壊することを主張する政党その他の団体を結成し，又はこれに加入した者（法 16 Ⅳ）　憲法を尊重し擁護すべき義務を負う公務員（憲法 99）が，日本国憲法又は日本国憲法の下に成立した政府を破壊しようとする団体の一員であるということは，相いれないところである。

３　特　例

（１）　職員の欠格条項については，条例でその除外例を定めることができる（法 16）。　これは，現に職員である者が欠格条項に該当した場合に，条例で失職しないことを定めることができるとされていること（法 28④）に対応しているが，この条例を定める実益はないと考えられる。

（２）　外国人　地方公務員法は，任用の資格要件として日本国籍を有していることとは，明確には規定していない。そのため，採用や昇進において，外国人から受験機会を一律に奪わないようにとの強い要望が出ていた。日本国籍がないことを理由に地方公共団体が管理職試験の受験を拒否したことが争われた裁判で，最高裁判所は，地方公共団体が管理職の任用制度を構築した上で，日本国籍を有する職員に限って管理職に昇任することができるとするのは合理的な理由があるとし，現行法制度上，外国人に地方公務員となる道を開くか否かは，地方公共団体の条例や人事委員会規則にゆだねられるとして，地方公共団体の裁量権は，採用だけでなく，昇任についても認められるとした（最判平 17.1.26）。

⑰ 欠格条項該当者の任用

地公法 16

1　法的効力

欠格条項に該当しないことは，任用時の要件であるとともに，職員としての身分を有するための要件である（法 16）。

したがって，欠格条項に該当する者を誤って任用した行為は，法律上，当然無効であり，当該職員は，欠格条項に該当することが判明した時点で，失職することになる。この場合，別段の通知は要件とされておらず，通常行われる失職の通知は，単なる通知行為にすぎないとされる。

2　欠格条項の意義

欠格条項は，全体の奉仕者として公務に従事させることが不適当な者を排除し，住民の信頼を損なうことがないようにとの趣旨で設けられた。

地方公務員法 16 条各号の欠格条項は，次のとおりである。

（1）　禁錮以上の刑に処せられ，その執行を終わるまで又はその執行を受けることがなくなるまでの者　　これらの者を公務に就かせることは，住民の信頼を損なうおそれがあるためである。

（2）　その他の欠格条項　　①　義務違反その他非違行為の責任を問われて懲戒免職された者（当該処分のあった日から２年間に限る。），②　人事委員会又は公平委員会の委員が在職中地方公務員法に違反し，刑に処せられた者，③　日本国憲法又はその下に成立した政府を暴力で破壊しようとする者

（3）　任用資格　　一定の職に就くため所定の資格を要件としているものについては，その資格を有していないにもかかわらず，当該職へ任用した行為は無効である。

（4）　外国人　　法には明確な規定はないが，総務省は，「公務員に関する当然の法理として，公権力の行使又は公の意思の形成への参画に携わる公務員となるためには，日本国籍を必要とするものと解すべきだ。」との内閣法制局の見解（昭 28.3.25）に基づき，一般事務職や技術職などの公権力の行使に携わる職には，外国人は任用できないとしてきた。しかし，

最近は，国籍条項を撤廃したり，一般事務系の職の中に「国際」や「経営情報」などの専門職種を設けたりする地方公共団体がある。一方，公権力の行使に携わらない医療技術職や単純労務の職には，外国人の任用が可能である。また，教員については，平成３年，文部省（当時）が日本国籍のない者を常勤講師として採用するよう通知し，一応の道が開かれている。

管理職試験を受験しようとした外国人職員に対し，地方公共団体が日本国籍でないことを理由にその受験を拒否したことが争われた裁判で，受験拒否は合憲であるとされた。最高裁判所は，重要な決定業務を行う幹部職員である公権力行使等地方公務員の職については，国民主権の原理から外国人の就任は想定されていないとし，幹部職員となるために必要な経験を積ませることを目的とした管理職の任用制度が採られている場合，外国籍公務員を登用しないようにしても合憲であると判示した（最判平 17.1.26）。

3　欠格条項該当者の行った行為の効力

公務員となりえない者が，公務員として行った行為は，無権限の行為として，原則として無効である。

しかし，行為の相手方の信頼の保護と法律生活の安定の確保等，既成の事実又は法律関係の尊重の要請に基づき，事実上の公務員の理論により，その行為の効力は妨げられないと解されている（行実昭 41.3.31）。

4　欠格条項該当者に支給された給与の取扱い

公務員となりえない者が，公務員として任用され，一定の期間勤務するとともに給与を受け取った後に，任用の無効が明らかにされたときは，その者に既に支給された給与は，法律に基づく給与ではなく，その者は法律上の原因なくして利益を受けたことになる。

しかし，その者は，当該地方公共団体に対し，一定の労務を提供しており，当該地方公共団体においても，法律上の原因なくして一定の利益を受けているのである。そこで，勤務と給与との間に，明らかに均衡を欠くと認められる特別の場合を除き，均衡があったものとみなし，不当利得返還請求権を行使する必要はないものとされる（行実昭 41.3.31）。

⑱ 任命の方法

地公法15の2，17～18，21の3～21の5

1　任命の方法

職員の職に欠員を生じた場合においては，任命権者は，採用，昇任，降任又は転任のいずれかの方法により，職員を任命することができる（法17①）。ただし，緊急の場合，臨時の職に関する場合等特定の場合には，臨時的任用の方法によることができる（法22の3①，④）。

（1）　採用　　職員以外の者を職員の職に任命すること（臨時的任用を除く。）をいう（法15の2①Ⅰ）。

（2）　昇任　　職員をその職員が現に任命されている職より上位の職制上の段階に属する職員の職に任命することをいう（法15の2①Ⅱ）。

（3）　降任　　職員をその職員が現に任命されている職より下位の職制上の段階に属する職員の職に任命することをいう（法15の2①Ⅲ）。

（4）　転任　　職員を昇任及び降任以外の方法で，その職員が現に任命されている職以外の職員の職に任命することをいう（法15の2①Ⅳ）。

これらのほかに，現に任用されている職員をその職を保有したまま他の職に任用する「併任」，任命権者を同じくする職で，現に保有する職と同等の職へ任用する「配置換」があるが，これらは昇任，降任又は転任に含まれると解されている（行実昭27.9.30）。

地方自治法は，人材活用のため，地方公共団体の長は，当該普通地方公共団体の委員会又は委員と協議して，「兼職」，「充て職」又は「事務従事」の方法が採れることを定めている（自治法180の3）。

2　任命の手続

任用に当たっては，受験成績，人事評価その他の能力の実証に基づいた成績主義の原則が適用される（法15）。

採用については，人事委員会（競争試験等を行う公平委員会を含む。以下この講において同じ。）を置く地方公共団体は，競争試験によることが原則である。ただし，人事委員会規則（競争試験等を行う公平委員会を置く地方公共団体は公平委員会規則）で定める場合は，選考によることができる（法17の2①）。採用試験は，受験者の採用しようとする職の標準職務遂行能力及び適性の有無について，正確に判定することを目的とする（法20①）。人事委員会を置かない地方公共団体又は特定地方独立行政法人は，競争試験又は選考のいずれによってもよい（法17の2②，地方独法53③）。

昇任については，昇任させようとする職の標準職務遂行能力及び適性を有する者を対象として，昇任試験又は選考が行われなければならない（法21の3，21の4①）。

採用若しくは昇任のための競争試験又は選考は，試験機関として人事委員会等が行う（法18，21の4④）。ただし，人事委員会（人事委員会を置かない地方公共団体においては，任命権者）は，他の地方公共団体の機関と共同して，又は国や他の地方公共団体の機関に委託して，採用のための競争試験又は選考を行うことができる（法18ただし書）。

降任は，任命権者が，職員の人事評価等の能力実証に基づき，任命しようとする職の標準職務遂行能力及び適性を有する職に任命する（法21の5①）。

転任は，任命権者が，同様の方法で，任命しようとする職の標準職務遂行能力及び適性を有する者の中から行う（法21の5②）。

3　人事委員会の権限

（1）　任命の方法のいずれによるべきかの一般的基準を定めることができる（法17②）。

（2）　競争試験又は選考を実施する（法18）。

（3）　採用について，選考によることができる場合を人事委員会規則（競争試験等を行う公平委員会を置く地方公共団体は公平委員会規則）で定める（法17の2①）。

（4）　正式任用の職員が，職制・定数の改廃等一定の理由により職を離れた後に，復職する場合の資格要件等を定めることができる（法17の2③）。これは，人事委員会を置かない地方公共団体の任命権者にも認められている。

（5）　人事委員会の定める職について，採用候補者名簿（法21①）がなく，かつ，人事行政の運営上必要であると認める場合，その職の採用試験又は選考に相当する国又は他の地方公共団体の採用試験又は選考に合格した者を，その職の選考に合格した者とみなすことができる（法21の2③）。

⑲ 競争試験及び選考

地公法 17 の 2～21 の 4

1 意 義

地方公務員法は，職員の任用については，受験成績，人事評価その他の能力の実証に基づいて行わなければならないという能力主義の原則によっている（法 15）。任用のうち，特に，採用と昇任とについては，競争試験（採用のためのものを採用試験，昇任のためのものを昇任試験という。）又は選考によることとし，その方法を規定している（法 17 の 2①，②）。

競争試験は，受験者が任命しようとする職の職務遂行能力及び適性を有するかどうかを判定する目的で，不特定多数の者を対象として，筆記試験等の方法により，相互に競争させ，その成績によって受験者間に順位を定め，選抜する方法である。また，選考は，競争試験以外の能力の実証に基づく試験をいい，特定の者が任命しようとする職の職務遂行能力及び適性を有するかどうかを判定するものである。

人事委員会（競争試験等を行う公平委員会を含む。以下この講 3 において同じ。）を置く地方公共団体においては，職員の採用は，競争試験を原則とし，人事委員会規則（競争試験等を行う公平委員会を置く地方公共団体においては，公平委員会規則）で定める場合は，選考によることができる（法 17 の 2①）。昇任は，昇任試験又は選考による（法 21 の 4①）。また，人事委員会を置かない地方公共団体又は特定地方独立行政法人においては，競争試験又は選考のどちらかの方法による（法 17 の 2②，地方独法 53③）。

2 試験機関

競争試験等を行うのは，人事委員会を置く地方公共団体では当該人事委員会，競争試験等を行う公平委員会を置く地方公共団体では当該公平委員会，競争試験等を行わない公平委員会を置く地方公共団体では任命権者である（法 18①）。ただし，人事委員会等（人事委員会，競争試験等を行う公平委員会及び競争試験等を行わない公平委員会を置く地方公共団体の任命権者をいう。以下この講において同じ。）は，他の地方公共団体の機関との協定により共同して，あるいは国又は他の地方公共団体の機関との協定により委託して，実施することができる（法18ただし書）。

3　競争試験の実施における原則等

（1）平等公開の原則　採用試験は，人事委員会の定める受験資格を有する全ての国民に対して，昇任試験は人事委員会の指定する職に正式任用された全ての職員に対して平等の条件で公開されなければならない（法18の2，21の4④）。

（2）受験の阻害及び情報提供の禁止　試験機関に属する職員等は，受験を阻害し，又は受験に不当な影響を与える目的をもって特別又は秘密の情報を提供してはならない（法18の3）。

（3）受験資格　受験資格は，人事委員会等が職務の遂行上必要な最少で適当な限度の客観的，画一的要件を定めるものとされている（法19）。

（4）競争試験の方法　競争試験は，筆記試験その他の人事委員会等が定める方法により行うものとする（法20②）。筆記試験以外では，口頭試問，身体検査，人物性行，教育程度，経歴，適性，知能，技能，一般的知識，専門的知識，適応性の判定の方法又はこれらの方法の併用が考えられる。

（5）候補者名簿　人事委員会を置く地方公共団体で，採用試験又は昇任試験を実施したときは，人事委員会は採用候補者名簿又は昇任候補者名簿を作成しなければならない（法21①，21の4④）。

4　その他

採用及び昇任について，競争試験又は選考によるものとすることの例外がある。まず，正式任用になって，ある職に就いていた職員が，職制若しくは定数の改廃又は予算の減少に基づく廃職又は過員によりその職を離れた後に，再びその職に復する場合である。この場合は人事委員会等が任用手続等について必要な事項を定めることができる（法17の2③）。

次に，人事委員会等は，その定める職員の職について採用候補者名簿がなく，しかも，人事行政の運営上必要であると認める場合においては，その採用試験又は選考に相当する国又は他の地方公共団体の採用試験又は選考に合格した者を，その職の選考に合格した者とみなすことができる（法21の2③）。

20 採用候補者名簿と昇任候補者名簿

地公法 17 の 2，18，21，21 の 4

1　採用及び昇任の方法

地方公共団体の職員の採用及び昇任は，競争試験又は選考によって行われ（17 の 2①，②，21 の 4），採用のための競争試験を採用試験といい（法 18），昇任のための競争試験を昇任試験という（法 21 の 4①）。競争試験又は選考は，人事委員会を置く地方公共団体にあっては人事委員会が，競争試験等を行う公平委員会を置く地方公共団体にあっては公平委員会が，競争試験等を行わない公平委員会を置く地方公共団体にあっては任命権者が行う（法 18，21 の 4④，⑤）。特に，人事委員会を置く地方公共団体においては，職員の採用は，競争試験を原則とする（法 17 の 2①）。

競争試験は，不特定多数の者を競争させ，順位を定めて選抜する方法であるが，人事委員会（競争試験等を行う公平委員会を含む。以下この講において同じ。）が採用試験を実施した場合は採用候補者名簿を，昇任試験を実施した場合は昇任候補者名簿を作成する（法 21 ①，21 の 4 ④）。

2　採用候補者名簿又は昇任候補者名簿の作成

採用候補者名簿には，採用試験において合格点以上を得た者の氏名及び得点が記載される（法 21 ②）。この場合，氏名及び得点以外に，受験番号及び住所について記載することは可能である。

この名簿を作成するに当たっては，例えば，男女別に作成するなど，得点以外の要素を考慮することができるかが問題となるが，この名簿によって具体的な任用手続が行われるので，国民全てについて平等に取り扱われなければならないこと（法 13），採用は職の職務遂行能力及び適性を有するかどうかに基づいて行われなければならないこと（法 15）からみて，このようなことはできないとされている（行実昭 28.6.3）。

同様に，昇任候補者名簿には，昇任試験において合格点以上を得た者の氏名及び得点が記載される（法 21 の 4 ④）。

このほか，採用候補者名簿又は昇任候補者名簿の作成については，人事委員会規則（競争試験等を行う公平委員会においては，公平委員会規則）

で定めることとされている（法21⑤）。国が定めた準則によると，採用候補者名簿又は昇任候補者名簿は，人事委員会の議決によって確定されることのほか，作成に関しては，名簿からの削除，名簿への復活，名簿の訂正，名簿の失効等について規定している。

3　採用候補者名簿による採用

採用候補者名簿による職員の採用は，任命権者が，人事委員会の提示する当該名簿に記載された者の中から行うものとされている（法21③）。具体的には，①　任命権者が，人事委員会に対して提示請求を行う。②　人事委員会は，任命権者に対して採用候補者名簿を提示する。③　任命権者は，提示された採用候補者名簿の中から適当と思われる者を選択し，採用する。④　任命権者は，人事委員会にその結果を報告する。

4　採用候補者名簿による採用の特例

職員を採用しようとする場合に，採用候補者名簿に記載された者の数が採用すべき者の数よりも少ないとき等は，人事委員会は，他の最も適当な採用候補者名簿に記載された者を加えて提示することができる（法21④）。また，昇任の場合も同様である（法21の4④）。

また，採用候補者名簿がない場合に，人事委員会等（人事委員会，競争試験等を行う公平委員会及び競争試験等を行わない公平委員会を置く地方公共団体の任命権者をいう。）は，人事行政の運営上必要であると認めるときは，国又は他の地方公共団体の採用試験又は選考に合格した者をもって，選考に合格した者とみなして取り扱うことができる（法21の2③）。

21 任期付採用

任期付研究員法，任期付職員法

1　任期付職員制度の趣旨

近年，行政の情報技術化や高度化に伴い，高度の専門的な知識経験又は優れた識見を有する者を必要な業務に従事させる必要が生じてきた。そこで，平成12年に「地方公共団体の一般職の任期付研究員の採用等に関する法律」（以下「任期付研究員法」という。）が，また，平成14年に「地方公共団体の一般職の任期付職員の採用に関する法律」（以下「任期付職員法」という。）が制定された。

この制度は，各地方公共団体の政策判断で条例に基づき制度化されるもので，行政運営において最適と考える任用，勤務形態の人員構成を実現するための手段の一つである。

2　任期付研究員

（1）　招へい研究員型　　これは，研究業績等により当該研究分野において特に優れた研究者と認められている者を招へいして，高度の専門的な知識経験を必要とする研究業務に従事させる場合に，選考により任期を定めて採用する（任期付研究員法3①Ⅰ）ものである。任期は，5年以内（特に必要な場合は7年以内，特別の計画に基づき期間を定めて実施される研究業務の場合は10年以内）である（任期付研究員法4①)。裁量による勤務の制度を導入することができ（任期付研究員法6），任期付研究員業績手当の支給を受けることができる（自治法204②)。

（2）　若手研究員型　　これは，独立して研究する能力があり，研究者として高い資質を有すると認められる者を，当該研究分野における先導的役割を担う有為な研究者となるために必要な能力のかん養に資する研究業務に従事させる場合に，選考により任期を定めて採用する（任期付研究員法3①Ⅱ）ものである。任期は，3年以内（特に必要な場合は5年以内）である（任期付研究員法4③)。任期付研究員業績手当の支給を受けることができる（自治法204②)。

3　任期付職員

（1） **特定任期付職員**　　これは，高度の専門的な知識経験又は優れた識見を有する者をその者が有する当該高度の専門的な知識経験又は優れた識見を一定期間活用して遂行することが特に必要とされる業務に従事させる場合に，選考により任期を定めて採用する（任期付職員法３①）ものである。任期は，５年以内で任命権者が定める（任期付職員法６①）。特定任期付職員業績手当の支給を受けることができる（自治法204②）。

（2） **一般任期付職員**　　これは，専門的な知識経験を有する者を専門的な知識経験が必要とされる業務に期間を限って従事させることが公務の能率的運営を確保するために必要な場合であって，専門的な知識経験を有する者の育成に相当な期間を要するため適任の職員を確保することが一定の期間困難であるときや，急速に進歩する技術などその性質上専門的な知識経験を有効に活用できる期間が一定の期間に限られるとき等に，選考により任期を定めて採用する（任期付職員法３②）ものである。任期は５年以内で任命権者が定める（任期付職員法６①）。

（3） **その他の任期付職員**　　これは，職員を一定の期間内に終了することが見込まれる業務又は一定の期間内に業務量の増加が見込まれる業務に，期間を限って従事させることが公務の能率的運営を確保するために必要な場合に，任期を定めて採用する（任期付職員法４）ものである。任期は，３年以内（特に必要な場合は５年以内）で任命権者が定める（任期付職員法６②）。採用方法は，競争試験又は選考による（法17の２①，②）。

（4） **任期付短時間勤務職員**　　これは，短時間勤務職員（法28の５①）を，次の場合に，任期を定めて採用する（任期付職員法５）ものである。

①　一定の期間内に終了することが見込まれる業務又は一定の期間内に業務量の増加が見込まれる業務に，期間を限って従事させることが公務の能率的運営を確保するために必要な場合，②　職員により直接提供される住民サービスについて，提供時間の延長又は繁忙時の提供体制の充実を図ることが公務の能率的運営を確保するために必要な場合，③　部分休業（法26の２，26の３等）の承認を受けた職員に代わり，その業務を処理するため適当であると認める場合

任期は３年以内（特に必要な場合は５年以内）で任命権者が定める（任期付職員法６②）。採用方法は競争試験又は選考による（法17の２①，②）。

㉒ 条件付採用

地公法22

1　条件付採用の意義

この制度は，職員の職務遂行能力が，競争試験又は選考において判定されたとおりであるかどうかを勤務を通じて判断する制度である。

すなわち，職員の採用においては，臨時的任用又は非常勤職員の任用の場合を除き，全て条件付のものとし，採用後6月間，その職務を良好な成績で遂行したときにはじめて正式採用になるものとされ，この場合，人事委員会（人事委員会を置かない地方公共団体にあっては任命権者）は，条件付採用期間を1年に至るまで延長することができる（法22①）。

国家公務員についても同様の制度があり（国公法59，昇任についても条件附期間を設定している。），また，能力の実証を実地に行うという意味では，民間企業で行われている試の使用期間（労基法21 Ⅳ）と同じ性格のものである。

職員の採用の際，競争試験又は選考によって，一応実証されている職員としての適格性を更に確認しようとして，採用後の一定期間におけるその者の職務の遂行状況，つまり，実務に従事した成績を評価しようとするものである。要するに，採用の事前には競争試験又は選考により，事後には実務を通じて確実な能力の実証を得て，公務を遂行するための適格者を得ようとするものである。

2　条件付採用期間

条件付採用期間は原則として6月であるが，例えば病気等により実際の勤務日数が少なく，この期間においてその職員の能力が十分に実証できないような場合には，この期間を1年に至るまで延長することができる。ここで，1年間を限度としているのは，職員の身分を長期にわたって不安定な状態に置くべきではないとする趣旨である。一方，6月は法定の期間なので，これよりも短縮することはできない。ただし，会計年度任用職員については1月，小学校等の教員等については1年である。

良好な勤務成績で条件付採用期間を経過した職員は，その終了の日の翌日に正式採用となるものであり，正式採用について別段の通知又は発令行為は要しないものとされている。

3　条件付採用期間中の職員の身分の取扱い

条件付採用期間中の職員は試用期間中なので，地方公務員法の規定のうち職員の身分保障を定める分限の規定（法27②，28①～③）及び不利益処分に関する審査請求（法49①，②，行政不服審査法）の規定は適用されない（法29の2）ほかは，正式採用になっている職員と何ら異なるものではない。正式採用の職員と比べて身分保障の点で大きな差はあるが，一定期間に限って認められるものであり，平等取扱いの原則に反しない合理的なものとされている。

分限については，条件付採用期間中の職員に適用されない。したがって，法律に定める事由によらずその意に反して降任又は免職すること，法律又は条例で定める事由によらず休職させること及び条例に定める事由によらずその意に反して降給することができる。しかし，処分を行うに当たっても平等取扱いの原則（法13）及び公正の原則（法27①）の適用があり，また，条件付採用期間中の職員に係る分限について条例が定められている場合には，その限りにおいて身分保障が行われている（法29の2②）。

また，不利益処分に関する審査請求については，地方公務員法49条から51条の2までの規定は適用されないが，訴訟を提起することはできると解されている。

次に，昇任及び特別昇給については，勤務成績を観察する期間であるので，行うべきではないと解されている。

正式採用の職員と同様の取扱いがされる事項は，服務義務，懲戒，職及び給与の決定，転任，勤務条件に関する措置要求，職員団体の結成及び加入，共済組合員資格及び退職手当，等である。

4　条件付採用制度の適用除外

県費負担教職員について，都道府県教育委員会はこれらの職員を免職して同一都道府県内の他の市町村の県費負担教職員として採用できるが，この場合，能力は実証済なので，条件付採用制度は適用されない（地教行法40）。また，公立の小学校等の校長又は教員について，同様の場合は適用されない（教特法12②）。

㉓ 臨時的任用

地公法22の3

1　臨時的任用ができる場合

任命権者が臨時的任用を行うことができるのは，常時勤務を要する職に欠員を生じた場合における次のときに限定される（法22の3①）。人事委員会を置かない地方公共団体は，⑴及び⑵に限られ（法22の3④），また，⑷及び⑸の臨時的任用については，地方公務員法の規定（法22の3①～④）は適用されない（育休法6⑥）。

なお，臨時に任用される場合でも，顧問，参与，調査員，嘱託員等，専門的な知識経験又は識見に基づいて任命される者は特別職（法3③Ⅲ）であり，ここでいう臨時的任用職員ではない。

（1）　緊急のとき　災害の発生その他緊急に職員の任用を必要とするのに，恒久的な職に正式の職員を任用することが不可能な場合である。

（2）　臨時の職に関するとき　業務の一時的繁忙の事由に基づき職員の採用を行う場合等であり，職自体が臨時・暫定的である点で⑴と異なる。

（3）　採用候補者名簿がないとき　人事委員会を置く地方公共団体において競争試験を行わなかった場合はもとより，名簿に登載された採用候補者が全て任用された場合や残余の候補者が任用を辞退した場合等もこれに該当する。

（4）　職員が育児休業する場合　特例として，職員が育児休業する場合で業務の処理に必要があるときは，その期間を限度として（1年を上限とする。），任期付採用又は臨時的任用を行うものとされている（育休法6）。

（5）　公立学校の教職員が出産する場合　特例として，公立の学校に勤務する女子教職員が出産する場合には，原則として，産前産後の14週間を任用期間とする教職員の臨時的任用を行うものとされている（女子教職員の出産に際しての補助教職員の確保に関する法律3）。

2　臨時的任用の手続

任命権者が，臨時的任用を行うに当たっては，人事委員会を置く地方公共団体にあっては人事委員会の承認が必要である（法22の3①）が，人事委員会を置かない地方公共団体は，任命権者の判断で臨時的任用ができ，特段の手続を要さない。この人事委員会の承認は，個々の職員についてではなく，臨時的任用を行おうとする職についてであると解されている。また，正式の任用の例外なので，競争試験又は選考の方法による能力の実証を必要としないが，人事委員会は資格要件を定めることができる（法22の3②）。

臨時的任用の期間は，原則として6月以内であるが，6月以内の期間に限り1回だけ更新することができる。しかし，その後の更新は許されていないので，1年を超えることはできない（法22の3①，④）。すなわち，臨時的に任用された職員の任用期間が満了したときは，当該職員は，期間満了と同時に失職するものと解されている（仙台高判昭36.8.23）。これは，臨時的任用職員の身分保障が極めて弱いので，長期にわたり不安定な状態に置くことは好ましくないからである。

3　臨時的任用職員の身分取扱い

臨時的任用職員は，フルタイムで任用され，常時職員が行うべき業務に従事し，給料，旅費及び一定の手当が支給される（自治法204①，②）。また，その任用期間が短期なので，分限に関する規定及び不利益処分に関する審査請求の規定は適用されない（法29の2①）。しかし，臨時的任用職員の分限について条例で必要な事項を定めることは可能とされている（法29の2②）。また，臨時的任用職員は，採用に当たって競争試験又は選考を経ていないのが一般的なので，正式任用に際してはいかなる優先権も認められない（法22の3⑤）。

その他の身分取扱いに関しては，服務，懲戒に関する規定は，原則として正式任用の職員と同様に適用される。給与，勤務時間その他の勤務条件に関して人事委員会又は公平委員会に対する措置要求を行うことは可能であり，職員団体に加入することもできる。しかし，臨時的任用職員は，正式任用ではないので，転任や昇任はあり得ないと解され，また，一般に昇給が行われることもあり得ない。

㉔ 会計年度任用職員制度

地公法3③Ⅲ，22の2，38①

1　意　義

地方公共団体においては，近年，厳しい財政状況が続き，非常勤職員や臨時的任用職員が大幅に増加し，教育，子育て等様々な分野で活用されている。しかし，中には，その任用制度の趣旨に沿わない運用が見られ，適正な任用，勤務条件を確保することが求められた。

そこで，令和2年度から会計年度任用職員制度が設けられ，任用，服務規律等の整備が図られるとともに，特別職非常勤職員及び臨時的任用職員の任用要件を厳格にし，会計年度任用職員への移行が図られた。

2　会計年度任用職員

会計年度任用職員は，一会計年度を超えない範囲内で置かれる一般職の非常勤の職（再任用短時間勤務の職を除く。）を占める職員である。

（1）　勤務形態　フルタイムと常勤職員に比べ短いパートタイムとがある（法22の2①）。

（2）　採用方法　競争試験又は選考による（法22の2①）。

（3）　任期　一会計年度内で任命権者が定める（法22の2②）。また，任期の更新については，任命権者が当該会計年度任用職員の勤務実績を考慮した上で，同一会計年度内に限って行うことができる（法22の2④）。そして，任命権者は，当該会計年度任用職員に対して，その任期を明示しなければならず（法22の2③），任期を更新する場合も同様である（法22の2⑤）。

更に，任命権者は，会計年度任用職員の採用又は任期の更新に当たっては，職務の遂行に必要かつ十分な任期を定めるものとし，採用又は任期の更新を反復して行うことのないように配慮しなければならない（法22の2⑥）。

（4）　条件付採用　採用は，全て条件付のものとし，その期間は1月である（法22の⑦）。

（5）　勤務時間及び休暇　勤務時間，休暇等の勤務条件については，条例で定める（法24⑤）こととされている。勤務時間については，職務の内容や標準的な職務の量に応じて，適切に設定することが必要である。休暇については，年次有給休暇（労基法39），産前産後休業（労基法65），育児時間（労基法67），生理休暇（労基法68）を，また，国の常勤職員との権衡から必要な休暇を設けなければない。更に，育児休業については，地方公務員の育児休業等に関する法律が適用される。

（6）　服務及び懲戒　任期の定めのない職員と同じであるが，パートタイムの会計年度任用職員については，営利企業への従事等の制限の規定は適用されない（法38①）。

（7）　交渉制度　常勤職員と同様に，勤務条件に関する交渉制度が適用され，これに伴う代償措置として，勤務条件条例主義，措置要求，審査請求等が認められる。

（8）　給与等　フルタイムの会計年度任用職員については，給料及び旅費を支給しなければならず（自治法204①），また，扶養手当等の各種の手当を支給できる（自治法204①，②）。

また，パートタイムの会計年度任用職員については，報酬を支給しなければならず（自治法203の2①），また，費用弁償及び期末手当を支給できる（自治法203の2③，④）。

3　特別職非常勤職員の任用の厳格化

特別職は，首長や議員等のほか，臨時又は非常勤の顧問，参与，調査員，嘱託員及びこれらの者に準ずる者の職（法3③Ⅲ）と定められている。特別職の者には，守秘義務（法34）や職務専念義務（法35）が課されていないが，通常の事務に従事する者等を特別職として任用している実態が見られた。そこで，臨時又は非常勤の特別職を，専門的な知識経験又は識見に基づき，助言，調査，診断等を行う者に対象が限定された。具体的には，学校医等がこれに該当すると考えられる。

㉕ 離職の種類

地公法 16，27②，28，28 の 2，29

1 離職の意義

職員の離職とは，職員が有する職を失うことであるとともに，職員の職と身分とは一体であるので，職員がその地方公務員としての身分及び地位を失うことである。

職員の離職を分類すると，次のとおりである。

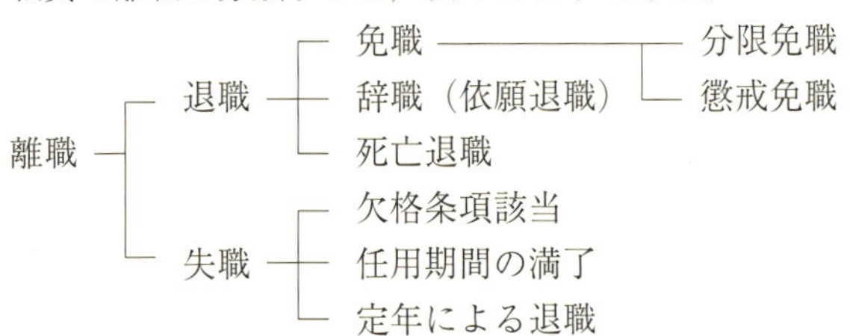

2 退職の種類及びその性質

退職には，職員をその意に反して退職させる免職とその意思によって退職する辞職とがある。

（1） 職員は，法律で定める事由による場合でなければ，その意に反して免職されることはない（法 27②）。その意に反して免職できる処分には，分限免職と懲戒免職とがある（法 28，29）。

任命権者が分限処分や懲戒処分を行うに当たっては，その権限行使を恣意的でなく，公正に行わせるため，法定事由に限定して，職員の身分保障を図るものである。分限処分は，公務能率の維持及び適正な行政運営の確保という観点から，懲戒処分は，職員の非違行為に対して道義的責任を追及し，職務の秩序を維持回復することを目的として行われる。

分限処分や懲戒処分ができる場合は，法定事由に限定されているが，任命権者には，当該行為が，法定事由に当たる程度のものかどうかを判断し，どの処分を行うかについての裁量権が与えられている。

しかし，その裁量権の行使は，一定の限界があり，その行使を誤れば，当該処分は，裁量権の濫用として違法な処分となる。

（2）　辞職は，職員の退職願の提出に基づき，任命権者の退職辞令交付によって行われる。また，辞職は，職員が退職願を提出しただけで，当然に離職するものではない。退職願は，同意を確認するための手続にすぎないものであるとされている。

（3）　職員が死亡したときは，当然に職を離れるが，次の失職とは性格を異にするため，退職に分類するのが妥当であろう。

3　失職の種類とその性質

失職には，条例に特別の定めがある場合を除いて職員が欠格条項に該当するに至ったとき，任期付職員・任期付研究員若しくは臨時的任用職員がその任用期間が満了したとき又は条例で定める定年による退職がある。

（1）　欠格条項（法16）に該当するに至ったときは，法律上当然に職を失うもので，失職事由が発生したときに離職することになり，別段の通知は要件とされない。

一定の職に就くため，所定の資格を要件としているものについては，その資格の喪失とともに，当然にその職を失うことになる。例えば，教育職員は，その職に就くためには，教育職員免許状を有することが必要であり，免許状の失効とともに，失職することになる（最判昭39.3.3）。

（2）　任期付職員・任期付研究員は，高度の専門的な知識経験等を有する者をその専門的知識を必要とされる業務や研究業務に従事させる場合に，一定期間任用される（任期付職員法，任期付研究員法）。また，臨時的任用職員は，常時勤務を要する職に欠員を生じた場合において，緊急のとき，臨時の職に関するとき又は採用候補者名簿がないときに，6月を超えない期間（最長1年まで更新できる。）で任用される（法22の3①）。いずれもその任用期間の満了と同時に失職する。

（3）　職員が一定の年齢（定年）に達することにより，本人の意思にかかわらず，当然に離職する定年制がある。すなわち，職員は，定年に達したときは，条例で定める退職すべき日に当然に退職することになる（法28の2①）。地方公務員法では，定年による「退職」と規定しているが，その法律的性質は失職である。

㉖ 退職願の撤回

1　退職願の性質

職員がその身分を失う離職には，失職及び退職がある。地方公務員法においては，任用期間満了による失職（法22の3①，④），欠格条項該当による失職（法28④），分限免職（法27，28），懲戒免職（法27，29）及び定年による退職（法28の2）についてそれぞれ規定しているが，辞職については特別に規定していない。したがって，これに関する問題は，もっぱら判例，条理等によって解釈しなければならないことになる。

まず，退職の意思を表わす退職願の性質は何であるか，が問題となる。これについて，判例は，職員は退職願を提出することによって当然に離職するものではなく，公務員の免職処分は，退職者の同意を要件とする任命権者の一方的行政行為であり，退職願はその同意を確かめるための手続であると判示した（高松高判昭35.3.31）。

2　退職処分の辞令交付後の取消し

それでは，任命権者において，真実その意思がないにもかかわらず，あたかも一定期日までに再任用する意思があるかのように表明したため，職員が誤信して退職の申出をし，退職辞令を受領した場合はどうであろうか。これに関しては次のような判例がある。

任命権者と職員との任免関係は公法上のものと見るべきであるから，職員のなした退職申出に基づいて，任命権者がいったん依願免職の辞令を交付した以上，職員の退職の効力にはいわゆる公定力を生じ，たとえその原因となった職員の意思表示に瑕疵があったとしても，それが当然無効のものでない限り，その効力はこれによって妨げられることなく，職員は，もはや詐欺による意思表示であることを理由に取消権を行使することはできないと言うべきである。（前橋地判昭31.8.28）

3　退職願の撤回

退職願を提出した職員が退職処分の辞令を交付される前に，退職願を撤回することは可能か否か，の問題がある。この問題に関して，辞職の意思表示を撤回するには，任命権者の承諾その他特別の事情がある場合に限るとする判例（仙台地判昭31.12.17）と，辞令交付前の退職願の撤回は一般に自由であるとする判例（仙台高判昭33.2.26，前記地裁判決の控訴審）があった。最高裁判所は，退職願の撤回は，辞令交付前は信義則に反しない限り自由であると判決を下した（最判昭34.6.26）。すなわち，辞令交付前においては，退職願はそれ自体で独立に法的意義を有する行為ではないから，これを撤回することは原則として自由であり，退職願の提出に対し任命権者側で内部的に一定の手続がなされた時点以後絶対に撤回が許されないとする見解は，採ることができない。ただ，信義に反する退職願の撤回によって，退職願の提出を前提として進められた爾後の手続をすべて徒労に帰し，個人の恣意により行政秩序が犠牲に供される結果となるような特段の事情がある場合には，その撤回は許されないと判示した。

4　退職の効力発生の時期

退職の効力発生の時期は，到達主義により，辞令が交付されたときであって，辞令の発信によって生ずるものではない（最判昭30.4.12）。また，その交付は，相手方が現実にこれを了知したときはもちろん，相手方が了知しうべき状態におかれたときを含む（最判昭29.8.24）。

なお，これは退職に限らず，職員の任命又は免職その他任用行為一般の効力にあてはまるものである。

また，将来の日時の日付を記載した退職願の書面を提出した場合には，その退職願による免職の同意の効力は，その日付の日時に発生するものと解する判例がある（高松高判昭35.3.31）。

27 公益的法人等への職員の派遣

公益的法人派遣法

1 意 義

地方公共団体は，各種の施策を推進するに当たり，民間活力を活用することが多々ある。この場合，社団法人や財団法人，地方独立行政法人，株式会社など，いわゆる第三セクターを設立し，運営することがある。また，これらの公益的法人等へ職員を派遣する事例は多い。

職員を派遣する場合，職務命令，退職・再採用，職務専念義務の免除，休職等の制度の運用で対応していた。しかし，市が商工会議所へ職員を有給で派遣していたことに対し住民訴訟が提起され，市が敗訴したこと（最判平10.4.24）が契機となり，統一的ルールを設定する必要に迫られた。

現在は，運用に差があった職員派遣の適正化手続等の透明化，職員の身分取扱い等を明確化し，併せて公益的法人等の業務の円滑な実施の確保等を通じて，地方公共団体の諸施策の推進を図る目的で，「公益的法人等への一般職の地方公務員の派遣等に関する法律」（以下「公益的法人派遣法」という。）により，① 公益的法人等への派遣制度と② 特定法人への退職派遣制度とが設けられている。

2 公益的法人等への派遣制度

職員を地方公務員の身分のまま公益的法人等へ派遣する制度である。

（1） 対象法人　公益的法人等である。すなわち，一般社団法人又は一般財団法人，一般地方独立行政法人，特別の法律により設立された一定の法人及び地方六団体のうち，その業務が地方公共団体の事務事業と密接な関連を有し，施策推進を図るため人的援助が必要なものとして条例で定められたものをいう（公益的法人派遣法２①）。

（2） 派遣前の手続　任命権者と対象法人との間で業務内容等について取り決める。その取決めの内容を職員に明示し，職員の同意を得る（公益的法人派遣法２②）。

（3） 派遣期間　３年以内であるが，５年まで延長できる（公益的法人派遣法３）。

（4）　**給与**　　原則として派遣先団体が支給する（公益的法人派遣法６）。

（5）　**身分上の服務**　　信用失墜行為の禁止や政治的行為の制限の身分上の服務規定は，適用される。

（6）　**服務上の服務**　　派遣先団体の服務規定に従い，地方公共団体の職務命令義務や職務専念義務の服務規定は，適用されない。

（7）　**共済制度**　　派遣先団体の業務を公務とみなして適用する（公益的法人派遣法７）。

（8）　**復帰**　　派遣期間満了で復帰する（公益的法人派遣法５②）。

（9）　**復帰時の処遇**　　派遣されない他の職員との均衡に配慮する（公益的法人派遣法９）。

3　特定法人への退職派遣制度

職員をいったん退職させたうえで特定法人へ派遣する制度である。

（1）　**対象法人**　　特定法人である。すなわち，地方公共団体が出資している株式会社のうち，その業務が公益の増進に寄与するとともに，地方公共団体の事務事業と密接な関連を有し，施策推進を図るため人的援助が必要なものとして条例で定めるものをいう（公益的法人派遣法10①）。

（2）　**派遣前の手続**　　任命権者と対象法人との間で業務内容等について取り決め，職員に明示後，職員は，任命権者の要請に応じて退職する（公益的法人派遣法10①）。

（3）　**派遣期間**　　３年以内である（公益的法人派遣法10④）。

（4）　**給与**　　派遣先団体が支給する。

（5）　**身分上の服務**　　地方公共団体の服務規定は，適用されない。

（6）　**服務上の服務**　　地方公共団体の服務規定は，適用されない。

（7）　**共済制度・短期給付**　　派遣先団体の健康保険に加入する。

（8）　**共済制度・長期給付**　　継続長期組合員として，退職はなかったものとみなす（公益的法人派遣法11）。

（9）　**雇用保険**　　雇用保険法が適用される。

（10）　**採用**　　派遣期間満了等の場合は，地方公務員法の欠格条項に該当する場合等を除き採用する（公益的法人派遣法10①）。

（11）　**派遣終了後の処遇**　　派遣されない他の職員との均衡に配慮する（公益的法人派遣法12）。

㉘ 海外への職員の派遣

外国派遣法

1 意 義

地方公共団体は，近年，海外の都市と姉妹都市交流をしたり，海外へ地場産品を売り込む等のため海外事務所を設けたりして，外国の地方公共団体や外国政府と国際交流を活発に進めている。それに伴い，職員を外国の地方公共団体等へ派遣することが増えてきた。そこで，昭和63年4月に，国際協力等の目的で，外国の地方公共団体の機関，外国政府の機関等に派遣される一般職の職員の処遇等について定める「外国の地方公共団体の機関等に派遣される一般職の地方公務員の処遇等に関する法律」（以下「外国派遣法」という。）が施行された。

2 派遣先

任命権者は，地方公共団体と外国の地方公共団体との合意等に基づき，又は次に掲げる機関の要請に応じ，これらの機関の業務に従事させるため，条例で定めるところにより，職員を派遣することができる（外国派遣法2①）。

派遣先は，次のとおりである。

① 外国の地方公共団体の機関
② 外国政府の機関
③ 我が国が加盟している国際機関
④ 前記①～③に準ずる機関で，条例に定めるもの

3 派遣前の手続

職員を派遣する場合，任命権者は，職員の同意を得なければならない（外国派遣法2②）。

4 服 務

派遣職員は，派遣期間中，派遣された時就いていた職等を保有するが，職務には従事しない（外国派遣法3）。同時に，外国の地方公共団体の機関等の業務に従事すべきことになる。

5 給与・旅費

「国際機関等に派遣される一般職の国家公務員の処遇等に関する法律」により派遣される国家公務員の給与及び旅費の支給に関する事項を基準として，条例で定める（外国派遣法７）。

6 共済制度

派遣先の業務を公務とみなして適用する（外国派遣法６）。

7 公務災害補償

派遣先の業務を公務とみなして適用する（外国派遣法５）。

8 復 職

任命権者は，派遣の必要がなくなった場合，速やかに職員を職務に復帰させなければならず（外国派遣法４①），また，派遣職員は，派遣期間が満了した場合，職務に復帰する（外国派遣法４②）。

9 派遣終了後の処遇

派遣職員が職務に復帰した場合における任用，給与等に関する処遇については，部内の職員との均衡を失することのないよう適切な配慮が加えられなければならない（外国派遣法８）。

㉙ 人事評価

地公法23〜23の3

1　人事評価のねらい

近年，住民ニーズの高度化，多様化とともに，地方分権の一層の進展により，地方公共団体の役割が増大し，また，厳しい財政状況の下，職員数は減少してきた。個々の職員には，困難な課題を解決する能力と高い業績を挙げることが，これまで以上に求められている。そこで，能力，実績に基づく人事管理の徹底により，より高い能力を持った職員の育成が必要となり，また，組織全体の士気高揚，公務能率の向上により，住民サービス向上の土台を作る必要がある。

2　人事評価制度

人事評価とは，任用，給与，分限その他の人事管理の基礎とするために，職員がその職務を遂行するに当たり発揮した能力及び挙げた業績を把握した上で行われる勤務成績の評価をいう（法6①）。

すなわち，人事評価は，能力評価と業績評価の２本立てで行われる。

能力評価は，企画立案，専門知識，協調性，判断力など職員の職務上の行動等を通じて顕在化した能力を把握するものである。これに対し，業績評価は，具体的な業務の目標，課題を評価期間の期首に設定し，期末にその達成度を把握するように，職員が果たすべき職務をどの程度達成したかを把握するものである。

人事評価の基準及び方法等は，任命権者が定める（法23の2②）が，任命権者は，職員の人事評価を公正に（法23①），かつ，定期的に（法23の2①）行わなければならない。

また，任命権者は，人事評価を任用，給与，分限その他の人事管理の基礎として活用し（法23②），その結果に応じた措置を講じなければならない（法23の3）。

すなわち，①　昇任等における能力本位の任用，②　昇給や勤勉手当における勤務成績を反映した給与，③　評価の全体評語が最下位になった場合における厳正・公正な分限処分，④　研修の開発・実施や職員の自発的能力開発における効果的な人材育成，を行うことである。

3　勤務評定との比較

これまでも，任命権者は，職員の執務について定期的に勤務評定を行い，その評定の結果に応じた措置を講じなければならない（平成28.4.1削除前の法40①）とされていた。

しかし，勤務評定の問題点として，①　評定項目があらかじめ明示されていないことが多い。②　上司から一方的に評定されるのみで，部下は評定結果を知らされない。③　評定の結果が人事管理に十分活用されていない，ことが挙げられていた。

これに対して，人事評価は，評価の観点として，能力評価と業績評価との両面から評価して，人事管理の基礎とすることを地方公務員法で規定し，また，評価基準の明示や評価結果の本人への開示等の仕組みを想定している。

人事評価は，職員の執務状況を把握し記録する性格は勤務評定と同様であるが，定義・位置付けを明確にしたものである。そして，従来の勤務評定と比べ，能力・実績主義を実現するための手段として，客観性・透明性を高めるものである。

30 人事評価の仕組みと人材育成

地公法 23～23 の 4

1　人事評価の基本的な仕組み

人事評価とは，任用，給与，分限その他の人事管理の基礎とする能力及び挙げた業績を把握した上で行われる勤務成績の評価をいう（法 6 ①）。その基準及び方法に関する事項その他人事評価に関し必要な事項は，任命権者が定める（法 23 の 2 ②）こととされ，また，人事委員会は人事評価の実施に関し，任命権者に勧告することができる（法 23 の 4 ）。

人事評価の基本的な仕組みは，次のとおりである。

（1）　**評価の方法**　　能力評価及び業績評価の２本立てで行う。

（2）　**評価基準の明示**　　評価項目，基準，実施方法等を明示する。

（3）　**評価者訓練**　　評価を行う職員に対し，研修等を行う。

（4）　**手順**　　①　評価される職員は，評価期間の期首に，発揮したい能力や職務等について目標を設定し，自己申告を行う。②　期首面談として，評価を行う職員と評価される職員とが話し合う。③　評価される職員は，期末に自らの業務遂行状況を振り返り，自己評価し，自己申告を行う。④　評価を行う職員は，評価される職員の業務遂行に当たって発揮した能力や挙げた業績について評価する。⑤　評価を行う職員は，提出された自己申告を基に評価される職員と期末面談を行い，評価結果を開示するとともに，今後の職務遂行に当たっての指導，助言を行う。⑥　評価に関する苦情に対応する仕組みを整備し，評価結果に苦情がある場合は，それに対応する。

2　人事評価の結果の活用

能力と実績に基づく人事管理の徹底には，人事評価の結果を任用や給与，分限，人材育成等の各分野において，十分に活用することが重要になる。

任用の根本基準として，職員の任用は，受験成績，人事評価その他の能力の実証に基づいて行われなければならず（法 15），昇任，降任及び転任において，人事評価は，そのための重要な手段として適切に活用されなければならない（法21の3，21の5）。

また，昇給や勤勉手当の適正な運用においても，人事評価の結果を適切に反映させることが必要である。

更に，降任や免職の事由の一つとして，人事評価又は勤務の状況を示す事実に照らして勤務実績が良くないことがある（法28①Ⅰ）ことを考えると，人事評価制度を信頼性の高いものにしていかなくてはならない。

3 人事評価と人材育成

人材育成の点からは，人事評価制度における能力評価・業績評価と評価者訓練は，評価を実際に行っていく中で評価を行う職員のマネジメント能力を醸成することにつながる。

次に，評価基準の明示は，期待する人材像の明示になり，職員にとっては具体的にイメージしやすくなる。

また，自己申告し面談することは，評価される職員の振り返りを通じて職員のやる気を増進させるとともに，職員が自発的に，かつ，主体的に能力開発を行っていくようになる。

人事評価の結果は，研修項目の新規設定や改善につながり，また，計画的な人事異動等と連動させた体系的な能力開発と結び付く。そして，任用・給与等への反映は，職員の士気向上の効果が期待できるものである。

31 勤務条件

地公法 24

1　勤務条件の意義

職員は，勤務を提供する代わりに，給与等の反対給付を受けている。また，逆に，このような反対給付がなければ，職員は勤務を提供しようとはしないであろう。このように，勤務を提供するに当たっての条件となるのが勤務条件であり，一般の雇用関係における労働条件に相当するものである。法制意見や行政実例では，勤務条件とは，給与及び勤務時間のような，職員が地方公共団体に対し勤務を提供するについて存する諸条件で，職員が自己の勤務を提供し，又はその提供を継続するかどうかの決心をするに当たり，一般的に当然考慮の対象となるべき利害関係事項であるとしている（法制意見昭 26.4.18，行実昭 35.9.19）。

具体的には，地方公務員法では給与，勤務時間その他の勤務条件としか規定されていないが，地方公営企業等の労働関係に関する法律７条で，団体交渉の範囲として①　賃金その他の給与，労働時間，休憩，休日及び休暇に関する事項，②　昇職，降職，転職，免職，休職，先任権及び懲戒の基準に関する事項，③　労働に関する安全，衛生及び災害補償に関する事項，④　前三号に掲げるもののほか，労働条件に関する事項，を掲げ，かなり広い内容になっている。しかし，その範囲は必ずしも明確とはいえず，具体的な場合に即して判断しなければならないものもあろう。

なお，勤務条件の範囲が問題となるのは，地方公務員法関係では，主に，条例で定めなければならないとされている範囲（法 24⑤），職員が人事委員会又は公平委員会に対して措置要求できる範囲（法 46）及び職員団体が当局と交渉できる範囲（法 55①）等である。

2　勤務条件の決定方法

一般の雇用関係における労働条件は，労使対等の立場で団体交渉によって定められるのが普通である。しかし，地方公共団体においては，職員の給与，勤務時間その他の勤務条件は条例で定める（法 24⑤）とされ，一般職員の場合は条例主義が採られている。これは，職員の身分保障を確実なものとすることと同時に，財政民主主義の観点から住民の前に明らかにすることにあると解されている。なお，職員団体は地方公共団体の当局と勤務条件について交渉を持ち，法令及び条例等に抵触しない限りではあるが，書面による協定を結ぶことができる（法55①，⑨）。

条例主義の原則については，単純労務職員及び地方公営企業の職員の場合には大幅に緩和され，勤務条件のうち給与の種類及び基準のみ条例で定めることとされている（地公労法附則⑤，地公企法38④）。これらの職員については，団体協約の締結権が認められているので，その限りにおいて条例主義を排したものである。

3　条例主義の問題点

一般職員の勤務条件は条例によって定められるので，議会は，例えば財政難等を理由に，人事委員会の勧告等を無視して，職員の勤務条件を決定できるかということが問題となる。これについては，地方公共団体の意思は最終的には住民の代表である議会が決定すべきもので，労使関係といえどもこれに優先することはできないとする意見と，条例主義の原則については，地方公務員の労働基本権が制約されていることとの関連で考えなければならず，また，長と職員との関係を労使関係としてとらえる「使用者としての地方公共団体の長」という考え方も認める必要があり，議会における決定には一定の限界がなければならないとする意見とがある。

4　勤務条件決定に関する人事委員会の権限

人事委員会は職員の勤務条件について絶えず研究を行い，その成果を地方公共団体の議会，長又は任命権者に提出する権限を有し（法８①Ⅱ），特に，給料表については，毎年少なくとも１回，適当であるかどうか地方公共団体の議会及び長に同時に報告し，給料表に定める給料額を増減することが適当であると認めるときは，併せて勧告することができる（法26）。

また，人事委員会又は公平委員会は，職員から勤務条件に関する措置の要求があったときは，それを審査し，判定し，及び必要な措置を執らなければならない（法８①Ⅸ，47）。

32 給　　与

地公法 24，25，26

1　給与の本質

戦前における官公吏は，天皇に対し一身を奉じ，国又は地方公共団体に対し，忠実無定量に勤務する義務を負っており，官公吏が受ける俸給も，その身分相応の体面を保つために，恩恵的に与えられるものと一般的に考えられていた。しかし，戦後，地方公務員法が制定され，近代的公務員制度が確立されると，公務員は全体の奉仕者として，公共の利益のために勤務するものとされた。そして，公務員の勤労者としての性格が明らかにされ，勤務を提供した対価として報酬を受け，生計を維持するものとされた。

これらのことから，地方公共団体の職員が受ける給与は，地方公共団体に対して提供した勤務に対する反対給付であるとされている。

2　給与の内容

職員に支給される給与の内容は，給料と各種の手当とに分けられる。

まず，給料とは，正規の勤務時間における勤務に対する対価である。そして職員の給与は，その勤務の内容としての職務と責任に応ずるものでなければならない（法 24①）ので，給与を支給するに当たっては，給与に関する条例において職務の種類に応じた給料表が定められる（法 25③）。一般的には，行政職給料表，公安職給料表，教育職給料表，研究職給料表，医療職給料表等がある。更に，各給料表においては，職務における責任の度合いや困難さに応じて級を定め，各級には，経験による熟練度等に応じて号給が設けられているのが一般的である。

次に，手当とは，給料で措置するには適さなかったり，給料では十分措置されていない事項について，給料を補完するものとして給与に関する条例により支給されるものである。具体的には，地方自治法 204 条 2 項に示されているが，内容としては，扶養手当等の生活給的なものや特殊勤務手当等の職務給的なものがある。

3　給与に関する諸原則

給与は，公正で，妥当な内容である必要があり，また，職員にとっては，生計を維持するための重要なものであるので，各種の原則が定められている。

給与の決定における原則として，①　給与は職務と責任に応じたものでなければならないとする職務給の原則（法24①），②　給与は生計費並びに国及び他の地方公共団体の職員並びに民間事業の従事者の給与その他の事情を考慮して定められなければならないとする均衡の原則（法24②），③　給与は条例で定めなければならず，また，法律又はこれに基づく条例に基づかなければ支給することはできないとする条例主義の原則（法24⑤，25①）がある。

支給するに当たっての原則であるが，まず，支払の三原則（法25②）として，①　給与は通貨で支払わなければならないとする通貨払いの原則，②　給与は直接職員に支払わなければならないとする直接払いの原則，③　給与は全額支払わなければならないとする全額払いの原則がある。そして，職員が他の職員の職を兼ねる場合においても，これに対して給与を支給してはならないとする重複給与支給の禁止がある（法24③）。

4　給与に関する人事委員会の役割

人事委員会は，毎年少なくとも1回，給料表が適当であるかどうかについて，地方公共団体の議会及び長に同時に報告し，また，給与を決定する諸条件の変化により，給料表に定める給料額を増減することが適当であると認めるときは，併せて適当な勧告をすることができる（法26）。このほか，人事委員会は，給与全体について絶えず研究を行い，その成果を地方公共団体の議会や長あるいは任命権者に提出するものである（法8①Ⅱ）。これらは，人事委員会が中立的機関として職員の利益を保護するために与えられた行政的権限である。

また，準司法的権限の一つとして，人事委員会又は公平委員会は，職員から給与に関する措置の要求があったときは，それを審査し，判定し，及び必要な措置を執らなければならない（法8①Ⅸ，47）。

㉝ 給与決定の原則

地公法 24，25

1　給与決定の三つの原則

給与は，職員にとって，その生活を支え，職員としての地位を維持するための基本的なものである。その決定に当たっての原則は，職務給の原則，均衡の原則及び条例主義の原則である。

2　職務給の原則

給与を決定する際に何を基準とするかによってその考え方が分かれる。例えば，職務の困難さや責任の度合いを基準とする職務給，職務の遂行能力を基準とする職能給，仕事の成果を基準とする能率給，職員の生活費を基準とする生活給等である。地方公務員法は，給与は，職務と責任に応ずるものでなければならない（法 24①）と規定し，職務給の考え方によっている。給与に関する条例には，給料表等のほか，等級別基準職務表を規定する（法 25③）。給料表においては，職員の職務の複雑，困難及び責任の度に基づく等級ごとに明確な給料額の幅を定めなければならない（法 25④）。また，等級別基準職務表には，職員の職務を給料表の等級ごとに分類する際に基準となるべき職務の内容を定めていなければならない（法 25⑤）。

なお，現行法制度上は，職務給の原則を採っているとはいえ，給与は生計費を考慮して定められなければならないこと（法 24②），給与として支給される諸手当の中には，扶養手当，地域手当，へき地手当及び期末手当等手当等が含まれていること（自治法 204②）等，生活費的要素もかなり含まれているといえるであろう。

地方公営企業の職員，特定地方独立行政法人の職員及び単純労務職員については，職務給の考え方に，職員の発揮した能率が十分に考慮されなければならないとする能率給の考え方が加味されている（地公企法 38②，39，地方独法 51①，法 57，地公労法附則⑤）。

3　均衡の原則

職員の給与は，生計費並びに国及び他の地方公共団体の職員並びに民間事業従事者の給与その他の事情を考慮して定めなければならない（法24②）。これを均衡の原則という。

この原則によると，結局は，国家公務員の給与がこれらの事情について考慮されているので，これに準じることによってその趣旨が生かされると解されている。この趣旨は，地方警察職員の給与は，国の警察庁の職員の例を基準として定める（警察法56②）と，より明確になっている。

なお，単純労務職員及び地方公営企業の職員については，均衡の原則と並んで経営状況を考慮すべきこととされている（地公企法38③，39，法57，地公労法附則⑤）。また，特定地方独立行政法人の職員については，均衡の原則に当該特定地方独立行政法人の業務実績等を考慮することとされている（地方独法51③）。

4　条例主義の原則

職員の給与は条例で定める（法24⑤，自治法204③）。また，職員の給与は，法律又はこれに基づく条例に基づかなければ支給することができない（法25①，自治法204の2）。これを条例主義の原則という。

制度的には，地方自治法203条の2で非常勤職員について，同法204条で常勤職員について支給できる給与が明示され，これに基づいて，各地方公共団体は，条例で実際に支給すべき給与について定めることになる。

この原則が設けられている趣旨は，給与の負担者である住民に職員の給与を明らかにするとともに，職員の労働基本権，特に団体協約締結権が制限されていることの代償として，条例により一定の水準を保障することにある。

なお，県費負担教職員の給与については，その負担を行う都道府県の条例で定める（地教行法42）こととされている。

次に，単純労務職員及び地方公営企業の職員の給与については，条例で定めるのは，給与の種類と基準のみとされている（地公企法38④）。これは，団体協約の締結権が認められているので，その限りで，給与条例主義の適用を排したものである。また，特定地方独立行政法人は，給与の支給基準を定め，設立団体の長に届け出るとともに，公表しなければならない（地方独法51②）。

34 給与均衡の原則

地公法 24 ②

1　給与決定における原則

地方公共団体の職員の給与を決定するに当たっては，職務給の原則，均衡の原則及び条例主義の原則がある。職務給の原則とは，「職員の給与は，その職務と責任に応ずるものでなければならない。」（法 24 ①）とされるものであり，均衡の原則とは，「職員の給与は，生計費並びに国及び他の地方公共団体の職員並びに民間事業の従事者の給与その他の事情を考慮して定められなければならない。」（法 24 ②）とされるものである。また，条例主義の原則とは「職員の給与，勤務時間その他の勤務条件は，条例で定める。」（法 24 ⑤）とされるものである。

2　均衡の原則

このうち，均衡の原則は，各種の要素を考慮して給与は定められなければならないとされるのであるが，それは結局，国家公務員の給与に準じることによって達成されると解されている。つまり，地方公務員と国家公務員とでは職務の種類が類似していること，国家公務員の給与水準は，給与に関する人事院勧告（国公法 28 ②）に基づいて決定されているが，人事院が勧告を出す際には，生計費及び民間企業における給与が既に考慮されていること，したがって，すべての地方公共団体が，その職員の給与について国家公務員の給与に準じるとするならば，結局は，国及び他の地方公共団体の職員の給与についても考慮したことになるとするのである。

しかし，これに対しては，地域によって生計費が異なること，都道府県等には人事委員会が設置され，特定の地域の事情に精通した委員が，その地域の実情を十分に考慮しながら給与勧告を行うものであること，これを国に準じるとした場合には，この面での人事委員会の機能を否定することになること等の反対の意見もある。

3　給与水準の比較

実際に，給与が均衡のとれたものであるかどうかを調べる場合には，その水準を比較して行うことになるが，この比較の方式として，ラスパイレス，パーシェ及びフィッシャーの各方式が用いられる。これらは，本来，総合物価指数を算定する場合に用いられる方式であるが，給与水準の比較にも利用されている。

（1）ラスパイレス方式　これは，基準となるものの数量をウエイトとした総和法による指数算式である。例えば，A県を基準としてB県の給与を比較する場合は，B県の職員構成がA県と同じものであった場合を仮定してB県の総給与額を算出し，A県と比較するものである。具体的には次のように行われる。①　基準となるA県の学歴別，経験年数別の職員数及び総給与額を調べる。②　比較するB県の学歴別，経験年数別の平均給与を算出する。③　基準となるA県の学歴別，経験年数別の職員数に，比較するB県の学歴別，経験年数別の平均給与を乗じ，その総和を求める。④　③で算出した総給与額を，基準となるA県の総給与額で除して指数を算出する。

（2）パーシェ方式　この方式は，ラスパイレス方式が基準となるものの数量をウエイトとするのに対し，比較するものの数量をウエイトとする方式である。

（3）フィッシャー方式　これは，ラスパイレス方式による指数とパーシェ方式による指数とを乗じ，その平方根を指数とするものである。

一般的には，給与水準の比較については，ラスパイレス方式が用いられる。しかし，これのみによる場合，比較する団体間において，職員構成が著しく異なっているときには，かなり誤差が生じるので，パーシェ方式又はフィッシャー方式による指数も調べることが必要となってくる。また，給与水準を比較するに当たっては，各団体の固有の事情も考慮する必要があるので，これらの方式により算出した指数の高低のみをもって給与水準の是非を論じるのは困難であるといえよう。

35 給与支給の原則

地公法 25 ②

1　支払の三原則

給与は，職員に確実に支払われなければならない。これを保障するために，給与の支払に当たっては，地方公務員法 25 条 2 項（単純労務職員及び地方公営企業の職員については労基法 24 条 1 項）で，通貨払い，直接払い及び全額払いの各原則が定められている。

（1）　通貨払いの原則　　職員の給与は通貨で支払わなければならない（法 25 ②）。通貨とは，強制通用力を有する貨幣である。一般的に，給与を小切手で支払うことができるかが問題となるが，地方公共団体の場合には，小切手による給与の支給は，退職手当を除き，禁止されている（自治令 165 の 4 ③）。また，職員の支配下にある銀行等の預金口座に振替支出することは，通貨払いの原則には反しない（労基則 7 の 2 ① I ）。

（2）　直接払いの原則　　職員の給与は直接職員に支給されなければならない（法 25 ②）。したがって，職員の委任を受けた者に対し給与を支払うことはできない。しかし，この原則の趣旨は，給与が確実に職員の支配圏に引き渡され，職員の自由な処分にゆだねられるところにあるので，職員の使者に対し支払うことは差し支えないと解されている。なお，支払う場所については勤務場所で行われるべきものと解されている。

（3）　全額払いの原則　　職員の給与は，その全額を支給しなければならず，一部を控除して支給することはできない（法 25 ②）。この場合，給与の減額が問題となるが，欠勤あるいは懲戒処分としての減給処分等一定の減額すべき事由がある場合には，その減額された給与が支給すべき給与の全額であるので，全額払いの原則には反しない。

（4）　支払の三原則に対する特例　　支払の三原則については，法律又は条例で特に定められた場合には，三原則のすべてについて特例が認められる（法 25 ②）。この点，単純労務職員及び地方公営企業の職員については，労働基準法が適用されるので，直接払いに対する特例は認められない。また，通貨払いについては，法令（条例を含む。）又は労働協約で特例を定めることができ，全額払いについては，法令（条例を含む。）又は当該事業場の職員の過半数で組織する労働組合（このような組合がないときは，当該事業場の職員の過半数の代表者）との間の書面協定によって特例を定めることができる（労基法24①ただし書）。

2　重複給与支給の禁止

職員は，他の職員の職を兼ねる場合においても，これに対して給与を受けてはならない（法24③）。これは，同一勤務時間に対して二重に給与を支給することを避けるためのものと解されている。この場合，職員が兼ねる職には，他の地方公共団体のものも含まれる。

3　労働基準法の適用

職員は，一般的に労働基準法の適用を受けるが，給与支給に当たっての主な事項については次のとおりである。

(1)　職員の給与は，毎月1回以上，一定の期日を定めて支払わなければならない。ただし，臨時に支払われる給与等については，この限りではない（労基法24②）。

(2)　職員が出産，疾病，災害等非常の場合の費用に充てるために請求する場合は，支払期日前であっても既往の勤務に対する給与を支払わなければならない（労基法25）。

(3)　時間外，休日及び深夜に勤務した場合には，通常の給与の計算額の2割5分以上の割増給与を支払わなければならない（労基法37）。

(4)　職員が死亡又は退職した場合に，権利者から請求があったときは，7日以内に職員の給与を支払い，また，金品を返還しなければならない（労基法23）。

(5)　解雇を30日前に予告しない場合には，30日分以上の平均賃金を支払わなければならない。ただし，職員の責に帰すべき事由に基づく場合等においては，この限りではない（労基法20）。

㊱ 給与の全額払いに対する特例

地公法25②

1　給与支払における全額払いの原則

職員の給与は条例で定めるところに従って支給されるが，その支払に当たっては，地方公務員法25条2項で，「法律又は条例により特に認められた場合を除き，通貨で，直接職員に，その全額を支払わなければならない。」と規定されている。

すなわち，職員の給与の支払に当たっては，通貨払い及び直接払いの原則とともに全額払いの原則があり，給与の一部を控除して支払うことはできない。したがって，組合費を天引きすることも原則として禁止されることになる。

なお，単純労務職員，特定地方独立行政法人の職員及び地方公営企業の職員に対するこれらの原則については，地方公務員法25条2項の規定は適用されず，労働基準法24条1項によって同様に規定されている。

2　全額払いに対する特例

この全額払いの原則については，法律又は条例により特に認められた場合には，特例が認められる。

なお，単純労務職員，特定地方独立行政法人の職員及び地方公営企業の職員については，このほか，当該事業場の職員の過半数で組織する労働組合があるときはその労働組合，職員の過半数で組織する労働組合がないときは職員の過半数を代表する者との書面による協定によって，特例を設けることができる（労基法24①ただし書）。

これらによる特例のうち法律による主なものを挙げると，次のとおりである。

（1） 給与所得に対する所得税の源泉徴収（所得税法183①）並びに個人の道府県民税及び市町村民税の特別徴収（地方税法41，321の3）

（2） 地方公務員の共済組合の掛金及び共済組合に対して支払うべき掛金以外の金額（地共法115）

（3） 通勤途上災害により療養補償を受ける職員が地方公務員災害補償

基金に納付する一部負担金（地公災法66の2③）

（4）　給与について債権の差押えを受けた場合（この場合には，民事執行法に基づく場合（同法152，同法施行令2）と，国税徴収法による場合（同法76①，④）とがあり，いずれの場合でも差押えには一定の限度がある。）

3　職員組合費の天引き

職員組合費を給与から天引きすること（チェック・オフ）は，条例で特に認められた場合（単純労務職員，特定地方独立行政法人の職員及び地方公営企業の職員については，書面による協定のある場合を含む。）に初めてできることになる。

なお，給与支払の原則を定めた地方公務員法25条2項は，ILO87号条約批准に伴い昭和40年（1965年）に導入された規定であり，それ以前は，すべて労働基準法24条1項の規定が適用されていた。したがって，職員組合費を天引きすることは，すべての職員について，地方公共団体との書面による協定によって行いえた。しかし，職員組合費の天引きは，地方公共団体が職員団体に対して行う便宜供与であり，労使の自主性確保の面からは好ましくなく，しかも，このため地方公共団体の出納機関が組合費の徴収についてすべての責任と負担を負うことは，その公的性格からみて適当ではないこと，また，国の職員については，職員組合費の天引きは認められていないので，その採否は条例の定めるところにゆだねられたものである。したがって，条例等で定めて職員組合費を天引きするに当たっては，労使の自主性確保に十分な配慮を行う必要があろう。

37 給与請求権の放棄及び譲渡

地公法25②

1 概 要

職員には，勤務を提供したことに対する反対給付として，給与を請求する権利があるが，職員はこの請求権を放棄し，又は他人に譲渡することができるであろうか。

（1） 判例 旧官吏制度の下においては，官吏の俸給請求権は官吏としての地位を有する者に対してのみ与えられた公法上の債権であるから，任意に譲渡することはその性質上許されないとするものがある。すなわち，官吏の自由意思に基づき，これを任意に処分することを許容すれば，官吏としての地位を保持するのに必要な生活資料を失うようになるおそれがあるのはもちろん，公益を害する結果を招くおそれがあるからであるとされた（大審院昭9.6.30）。

また，現行公務員制度の下においては，公務員の俸給を受ける権利を放棄することは，公務員と国又は地方公共団体との間に存する特別権力関係を破壊し，公益を害するようになるおそれがあるので，一般に許されないものと解すべきであるが，このようなおそれが全くない場合には，有効にこれをなしえるものと解すべきであるとするものがある（仙台高判昭32.7.15）。

（2） 行政実例 地方公務員法25条1項及び地方自治法204条の規定は，地方公共団体はその職員に給与を支給することとしているので，地方公共団体は給与を支給すべきであるが，職員が公務員としての地位に基づいて有する給与請求権の支分権である具体的給与の請求権を放棄することができないとはいえないと解せられるとしている（行実昭28.7.27）。

2 基本権と支分権

職員の給与請求権については，行政実例のように，基本権としての請求権と，支分権としてのそれとに分けて考えることができよう。このうち基本権としての請求権については，職員としての地位そのものから生じる一身専属的なものであるから，他人に譲渡する等職員が自由に処分することは認められないのは当然である。

次に，支分権としての請求権であるが，これは，職員の地位に基づき，上司の命によって実際に勤務したことから生じる具体的な給与に対する請求権である。一般的に，職員は，この具体的な給与の支給を受けることによって，生活を支え，勤務を続けることができるのであるので，職員がこれを放棄したり，他人に譲渡したりした場合には，正常な勤務を期待できず，公務遂行上支障を生じるおそれがあるばかりではなく，公益を害するおそれもある。判例等において，原則として，放棄や譲渡は許されないと解しているのもこの理由からであり，また，民事執行法上，又は国税徴収法上，公務員の給与の差押えは認められるにしても，一定限度以上については認められないとしている（民事執行法152，国税徴収法76）のも，これらの考えによっていると思われる。

しかし，財産権については，一定の制限はあるにせよ，個人が自由に処分できるものであるので，具体的な給与に対する請求権についても，公務の遂行上支障がなく，また，公益を害するおそれがない場合には，放棄又は譲渡も可能といえるであろう。

なお，公職選挙法では，公職の候補者又は公職の候補者になろうとする者（これには現に公職にある者が含まれる。）が自己の選挙区内の者に対し，どのような名義かを問わず，寄附をしてはならないとされており（公選法199の2），この寄附には，地方公共団体の長やその議会の議員が給与を放棄することも含まれると解されているので，これらの者の給与の放棄は一切許されないものである。

38 給与請求権の消滅時効

地公法25

1　消滅時効に掛かる給与請求権

地方公共団体の職員に支給される給与については，一定の期間，請求等が行われなければこれを請求する権利は時効により消滅する。この場合，給与に対する請求権については，基本権と支分権とに分けて考えることができるが，このうち消滅時効に掛かるのは，支分権としての請求権である。

基本権としての給与請求権とは，地方公共団体の職員としての身分に基づく権利であり，具体的に金額として明らかにできる性質のものではないので，時効の問題は生じない。しかし，地方公共団体の職員として，上司の命令に従って一定の期間勤務を行ったことに対して支給される具体的に金額の定められた給与については，その請求権が発生した以降いつまでも請求できるというような，法的に不安定な状態に置くのは好ましいことではなく，また，長期間権利を放置しているような者を保護する必要もないので，時効により消滅するとされるのである。

2　消滅時効の期間

一般の債権の消滅時効の期間は，債権者が権利を行使することができることを知った時から5年間又は権利を行使することができる時から10年間とされている（民法166①）が，金銭の給付を目的とする地方公共団体に対する権利については，その時効期間は5年とされている（自治法236①）。しかし，この場合，他の法律に定めのあるものはそれによるとされており，地方公共団体の職員の給与の消滅時効期間については，労働基準法115条が適用される。すなわち，退職手当を除く給与に対する請求権は，行使することができる時から5年間（労基法附則143条3項により当分の間3年間），退職手当のそれは，行使することができる時から5年間である。起算点は，支払期日が定められている給与については，その支払期日，支払期日の定められていない給与については，給与を支給すべき事実が発生すればいつでも請求できるので，その事実が発生した時である。

3　時効の援用

時効の援用とは，時効によって利益を受ける者が，時効の利益を受ける意思を表示することである。民法では，一定期間継続した事実状態を尊重し，時効制度が設けられたが，一方では個人の意思も重視し，両者の調和を図る目的で，「援用」することによって初めて時効が成立することとされた。しかし，地方自治法では，地方公共団体に対する金銭の給付を目的とする権利については，時効について，その援用を必要としないこととされた（自治法236②）。したがって，退職手当を除く給与に対する請求権は，５年間（当分の間３年間）何も行われなかった場合には絶対的に消滅する。なお，一般的には，時効の利益はあらかじめ放棄することはできないが（民法146），事後においては放棄することはできると解されている。しかし，地方自治法においては，この事後の放棄についても禁止されている（自治法236②）。

4　時効の更新及び時効の完成猶予

時効の更新とは，時効期間の進行中に，一定の事由が発生したことを理由に，それまで経過していた期間をゼロとする仕組みで，事由発生時から新たに時効が始まる。

また，時効の完成猶予とは，時効期間の進行中に，一定の事由が発生しその事由が終了するまでの間は，時効は完成せず，猶予されることである。

地方公共団体の職員の給与に対する請求権の消滅時効の更新及び完成猶予については，法律に特別な規定がないので，民法の規定が準用される（自治法236③）。

それによると，時効の更新の事由の主なものは，確定判決若しくは確定判決と同一の効力を有するものによる権利の確定（民法147②）又は承認（民法152①）である。

また，時効の完成猶予の事由の主なものは，裁判上の請求若しくは支払督促（民法147①），仮差押え（民法149），催告（民法150①）又は天災等（民法161）である。

㊴ 一般職と特別職との兼職時の給与

地公法 24 ③

1　一般職と特別職

地方公共団体の職員の職は一般職と特別職とに分けられる。このうち，一般職は，特別職以外の一切の職である（法３②）。特別職は，地方公務員法３条３項に列挙されているが，知事のような住民の公選による職，参与のような非専務職あるいは知事の秘書のような自由任用職等をいうものである。

職員が他の職員の職を兼ねることを兼職あるいは兼務と呼んでいるが，これについては，地方公共団体の職員の場合は，一般職と一般職との間あるいは一般職と特別職との間でも禁止されてはいない。ただし，地方公共団体の議会の議員，長，副知事，副市町村長，教育長，教育委員会の委員，人事委員会又は公平委員会の委員については，常勤の一般職の職員及び短時間勤務職員（法 28 の５①）との兼職を禁止されている（自治法 92 ②，141 ②，166 ②，地教行法６，法９の２⑨）。

そこで，このような兼職が行われた場合，給与はどのように支払われるのかが問題となるところである。

2　重複給与の禁止

地方公務員法は，24 条３項において「職員は，他の職員の職を兼ねる場合においても，これに対して給与を受けてはならない。」と規定し，明文をもって兼職した職員に対する重複給与を禁止している。しかし，ここで「職員」というのは，同法４条１項で明らかなように一般職の職員を指しているので，一般職間での兼職についてのみ規定していることとなり，一般職と特別職との場合については，特段の規定をしていない。

3　一般職の職員が特別職の職を兼ねた場合の給与

この場合，行政実例では，特別職としての報酬を受けることは可能であるが，特別職としての勤務を行ったために一般職としての勤務を行えなかった時間に対する給与については，減額するのが妥当であるとしている（行実昭 26.3.12）。

給与は勤務したことの対価であるので，勤務しないことに対しては支払うべきではなく，行政実例において，一般職としての勤務を行えなかった時間に対する給与は減額すべきであるとしているのは当然のことと思われる。しかも，給与は職務に応じたものでなければならないという職務給の原則から考えれば，特別職の職務に従事したことに対し，特別職としての報酬を受けることも当然のことと思われる。

しかし，先にも触れた地方公務員法24条３項では，兼職した職に対する給与を禁止しているので，一般職と特別職との兼職の場合についても，この考え方を採れば，特別職としての報酬は受けられないこととなろう。この点，一般職間においても，職務給の原則から，兼職した職によって一定の調整措置を講ずるよう定めるべきとする意見があるところであり，法律で規定していない場合については，本来の職務給の原則に戻って，行政実例のように解することが妥当であろう。

なお，国家公務員の場合は，一般職と特別職との兼職については，その兼ねた特別職の職員として受けるべき給与の額が，一般職の職員として受ける給与の額を超えるときには，その差額を支給することとされている（特別職の職員の給与に関する法律14②）。

次に，兼ねることとなる特別職が，職務の性質上当然兼ねるべきものである場合には，特別職としての報酬を別に受けることは適当でないとされている（行実昭26.3.12）。

㊵ 休職者等の給与，非常勤職員の報酬等

地公法25，自治法203の2

休職中の職員や非常勤の職員については，一般の場合と異なった給与上の取扱いがなされる。このような場合を整理すると次のとおりである。

1　分限休職者の給与

休職中の職員は，職務に従事しないので，ノーワーク・ノーペイの原則からすれば，給与は支給されなくても当然である。しかし，分限処分を定めた地方公務員法28条の規定に基づく休職処分の場合については，公務能率の維持を目的として行われる処分であるので，その事由に応じて，一定の給与が支給されるのが一般的である。

2　懲戒処分を受けている者の給与

懲戒処分は，地方公務員法29条の規定に基づき行われるが，その種類には，戒告，減給，停職及び免職がある。このうち給与の支給について問題となるのは，減給処分と停職処分である。

まず，減給処分とは，職員に対する制裁として，職員が有する給与を受ける権利の一部を一定期間停止するものである。したがって，この処分を受けている期間中は給与が減額されて支給される。次に，停職処分とは，職員に対する制裁として，職員の有する職務執行の権利を一定期間停止するものである。この場合は，ノーワーク・ノーペイの原則から，停職の期間中は，いかなる給与も支給されない。

3　組合活動に従事する職員の給与

職員は，任命権者の許可を受けた場合は，人事委員会若しくは公平委員会に登録した職員団体又は労働組合の役員として専ら従事することができる（法55の2①）。その職員は，休職者として，いかなる給与も支給されず，また，その期間は，退職手当の算定の基礎となる勤続期間に算入されない（法55の2⑤）。

また，職員は給与を受けながら職員団体のために業務を行ったり，又は活動したりしてはならないものであり，たとえ勤務時間中の活動の承認を得た場合であっても，条例で定める場合以外は，活動した時間に対する給

与は支給されない（法55の2⑥）。

4　非常勤職員の報酬等

非常勤職員（短時間勤務職員及びフルタイムの会計年度任用職員を除く。以下この講において同じ。）には，報酬を支給しなければならない（自治法203の2①）。この報酬は，勤務日数に応じて支給されるもので（自治法203の2②），常勤職員に対する給与のように，いわゆる生活給的要素は含まれず，純粋に勤務に対する反対給付としての性格を有している。なお，非常勤の勤務の態様によっては，月額あるいは年額をもって支給することが適当な場合もあるので，条例で特別の定めをすれば勤務日数によらないこともできる（自治法203の2②）。

また，非常勤職員は，職務を行うため要する費用の弁償を受けることができる（自治法203の2③）。非常勤職員の報酬，費用弁償及び期末手当の額並びに支給方法は，条例で定めなければならない（自治法203の2⑤）。

更に，パートタイムの会計年度任用職員に対しては，期末手当を支給することができる（自治法203の2④）。

次に，フルタイムの会計年度任用職員に対しては，給料及び旅費を支給しなければならず（自治法204①），また，一定の手当を支給することができる（自治法204②）。給料，手当及び旅費の額並びに支給方法は，条例で定めなければならない（自治法204③）。

㊶ 初任給，昇給及び昇格

地公法 25 ③

1 給料表

地方公務員の給与は，給料と諸手当とから成っている。そのうち給料とは，正規の勤務時間に勤務したことに対する対価として支給されるもので，給与の基本的なものである。

この給料の額を決めるに当たっては，給与に関する条例において，職員の職務の種類によって分類された給料表が定められる（法 25 ③）。この給料表は，通常，国家公務員の俸給表を基準に，行政職給料表，研究職給料表，医療職給料表，教育職給料表及び公安職給料表等が定められ，これらの給料表では，職務の複雑さ，困難さ及び責任の度合い等によって等級が定められる。また，等級ごとに定数が定められ，この等級別定数は，任命権者ごとに，一般会計及び特別会計ごとに，かつ，給料表ごとに定められ，人事委員会を置く地方公共団体は人事委員会規則で，人事委員会を置かない地方公共団体は長の規則で定められる。更に，各等級の中に一定の範囲で号給が定められている。したがって個々の職員の給料の額を定めるに当たっては，どの給料表を適用し，どの等級に位置づけ，どの号給により支給するかが定められなければならないのである。

給料表は，一般の行政事務に従事する職員の場合は給与条例で定められるが，単純労務職員及び地方公営企業の職員の場合は，給与の種類と基準のみを条例で定め（地公労法附則⑤，地公企法 38 ④），給料表は，長の規則若しくは企業管理規程又はこれらの職員が組織する労働組合と当局との労働協約により具体的に定められる。また，特定地方独立行政法人の職員の場合は，特定地方独立行政法人の規程で定められる。

2 初任給

初任給，昇給及び昇格をさせるため，基準が定められる。それに基づき，初任給については，職員が採用された時の試験区分や前歴の経験年数により，等級と号給とが決定される。

3　昇　給

昇給とは，職員が現に受けている給料の号給を同一等級における上位の号給に決定することである。通常１年間の人事評価の評定期間において，勤務成績が良好な場合に４号の昇給をさせる（一定年齢以下の場合に限る。）ことを定期昇給という。勤務成績が特に良好な場合には５号の昇給をさせることができる。反対に，良好でない場合には３号以下の昇給又は昇給させないこともある。このように，勤務成績の差を昇給させる号給数の差に反映させることにしている。

なお，定期昇給について，職員の権利であるかどうかが問題となるが，判例は否定している（最判昭 55.7.10）。

4　昇　格

昇格とは，職員の職務の等級を，同一給料表における上位の等級に変更することをいう。昇格が行われるのは，任用上，職員が昇任したり，より複雑で困難な職務に従事することになったりした場合などである。このような任用が伴わずに昇格が行われることは，いわゆる「ワタリ」といわれ，優遇措置として問題とされる。なお，昇格に当たっては，等級別に定数が定められている場合は，その範囲内であることが必要であり，また，一般的には，昇格前の等級を一定期間受けていることが必要とされる。

5　降給及び降格

降給とは，昇給とは反対に，職員が現に受けている給料の号給を，同一等級における下位の号給に決定することである。

また，降格とは，昇格とは反対に，職員の職務の等級を，同一給料表における下位の等級に決定することをいい，通常，任用上の降任に伴うものである。

42 手　　当

地公法 25 ③，自治法 204

1　手当の設定

地方公共団体の長や常勤の職員，常勤の委員等には勤務に対する対価として給料及び手当が支給される（自治法 204）。このうち，手当については，地方自治法 204 条 2 項で，その種類が定められ，また，同条 3 項で，その支給方法は条例で定めなければならないとされている。なお，単純労務職員及び地方公営企業の職員に支給される手当の種類については，この規定にはよらず，条例で定めることとされている（地公労法附則⑤，地公企法 38 ④）。

2　手当の種類

手当の主なものの概略は，次のとおりである。

（1）　扶養手当　配偶者，満 22 歳に達する日以後の最初の 3 月 31 日までの間にある子，孫及び弟妹，満 60 歳以上の父母及び祖父母並びに重度心身障害者である扶養親族がいる職員に支給される。

（2）　地域手当　民間における賃金，物価等の事情を考慮すべき地域に在勤する職員に支給される。

（3）　住居手当　職員の住居に要する費用の一部に充てるため支給される。

（4）　初任給調整手当　医師や科学技術等の専門的知識を有する職員の採用を容易にするため，特定の職員に採用後一定期間支給される。

（5）　通勤手当　職員の通勤に要する費用に充てるため支給される。

（6）　単身赴任手当　異動に伴う住居移転などやむを得ない事情により，配偶者と別居し単身で生活する職員に支給される。

（7）　特殊勤務手当　著しく危険，不快，不健康又は困難な勤務その他著しく特殊な勤務で，給与上特別な考慮を必要として，かつ，その特殊性を給与で考慮することが適当でない職務に従事する職員に支給される。

（8）　特地勤務手当　離島その他生活の著しく不便な地に所在する勤務場所に勤務する職員に支給される。

（9）　へき地手当　交通条件及び自然的，経済的，文化的条件に恵まれない山間地，離島その他の地域に所在する公立の小・中学校に勤務する教職員に支給される。

（10）　**時間外勤務手当（超過勤務手当）**　職員が正規の勤務時間外（通常は土・日曜日の週休日である勤務を要しない日を含む。）に勤務を命じられ，勤務した場合に支給される。

（11）　**宿日直手当**　職員が宿直勤務又は日直勤務を行った場合に支給される。

（12）　**管理職員特別勤務手当**　管理職手当の支給を受ける職員が勤務を要しない日や休日（国民の祝日に関する法律の休日及び年末年始の休日等）に勤務した場合に支給される。

（13）　**夜間勤務手当**　正規の勤務時間として午後10時から翌日の午前5時までの間に勤務することを命じられている職員に対し，その間に勤務した全時間について支給される。

（14）　**休日勤務手当**　職員が休日における正規の勤務時間に相当する時間中に勤務した場合に，その勤務した全時間について支給される。

（15）　**管理職手当**　管理又は監督の地位にある職員の職務の特殊性に基づき支給される。

（16）　**期末手当**　生活習慣から生活費が一時的に増大する盆と年末に，生活費を補うために支給される。

（17）　**勤勉手当**　勤務成績に応じて支給される能率給的手当である。

（18）　**寒冷地手当**　寒冷の地域に常時勤務する職員に支給される。

（19）　**退職手当**　職員が退職した場合に，勤続に対する報償及び退職後の生活費として支給される。懲戒免職となった者や刑罰を受けて失職した者等には，その全部又は一部を支給しないことができる。刑事事件で起訴された者が退職した場合等は，その支給を一時差し止めることができ，また，退職手当を支給された職員が，在職中の非違行為により禁錮以上の刑に処せられた場合等には，その全部又は一部の返納を命じることができる。

そのほか，特定任期付職員業績手当，任期付研究員業績手当，義務教育等教員特別手当，定時制通信教育手当，産業教育手当，農林漁業普及指導手当，災害派遣手当がある。

㊸ 管理職手当

地公法25③V

1 概 要

地方公共団体の職員のうち常勤の職員には，給料と手当が支給される（自治法204）。給料とは，正規の勤務時間における勤務の反対給付として支給されるものであり，手当とは，給料で措置するのに適さなかったり，給料では十分措置できないものを補うものとして支給されるものである。手当の中には，特殊勤務手当等の職務給的なものや扶養手当等の生活給的なものがあるが，管理職手当もこの諸手当の中の一つで，職務給的手当である。

2 管理職手当の支給範囲

管理職手当が支給されるのは，管理又は監督の地位にある職員である。これらの職員と職員団体を結成するに当たって区別される「管理職員等」（法52③）とは，必ずしも一致するものではないと解されている。すなわち，管理職員等は，労使関係において地方公共団体の利益を代表する側の範囲を明らかにするものであるのに対し，管理職手当は，専ら勤務の特殊性に注目して支給されるものだからである。

管理職手当の支給対象については，行政実例では，労働基準法における労働時間，休憩及び休日に関する規定の適用を受けないところの，同法41条2号に規定する「監督若しくは管理の地位にある者」と解されている（行実昭36.8.15）。そして「一般的には局長，部長，工場長等労働条件の決定，その他労務管理について経営者と一体的な立場にある者の意であるが，名称に捉われず，出社退社等について厳格な制限を受けない者について実態的に判断すべきである。」とされている（労働省通達昭22.9.13）。

3 管理職手当の性格

管理職手当は，その勤務の特殊性に基づいて支給される。特に，管理監督者が，正規の勤務時間外に勤務する態様は，一般の職員と異なっており，その勤務の実績について，時間のみをもって測定するのは困難であるという事情が考慮されているものと解されている。したがって，管理職手当が支給されている職員には，正規の勤務時間以外に勤務した場合に支給される時間外勤務手当，午後10時から翌日の午前5時までに正規の勤務時間が割り当てられ，その時間に勤務した場合に支給される夜間勤務手当，宿日直勤務した場合に支給される宿日直手当，国民の祝日等休日に勤務した場合に支給される休日勤務手当は支給されないものと解されている（行実昭28.3.20，行実昭33.8.12）。手当については，法律に基づき条例で規定した場合に支給されるので，管理職手当とこれらの手当との併給について条例で規定した場合には可能と考えられるが，この場合には，管理職手当の額について調整されなければならない。

次に，管理職手当が支給される職に任用された職員が，その身分を保有したまま休職になった場合には，管理職手当は支給されない（行実昭35.2.24）。管理職手当は実際に勤務を行ったことに対して支払われる手当であるからである。

しかし，実際に勤務した場合であっても，事実上代行したような場合や，併任によってその職務を行うような場合には，支給されることはない。なお，欠員のあった場合の代理等であっても本務として命じられれば，併任でない限り，管理職手当は支給されるものと解されている（行実昭35.2.24）。

44 給料表に関する報告及び勧告

地公法26

1　人事委員会の権限

人事委員会の権限に，人事評価，給与，勤務時間その他の勤務条件，研修，厚生福利制度その他職員に関する制度について絶えず研究を行い，その成果を地方公共団体の議会若しくは長又は任命権者に提出すること（法8①Ⅱ）がある。

そのうち，特に，職員の給与の基本をなす給料表については，地方公務員法26条で，毎年少なくとも1回，給料表が適当であるかどうかについて，地方公共団体の議会及び長に同時に報告するものとされ，その際，給与を決定する諸条件の変化により，給料表に定める給料額を増減することが適当であると認めるときは，併せて適当な勧告をすることができるとされている。

国家公務員の場合についても，国家公務員法28条2項に人事院の権限としてこれと同様な規定があるが，この規定が，昭和23年における国家公務員の労働基本権の制限を含む同法の改正に際して付加された経過からみても明らかなように，地方公務員法26条の規定は，職員の労働基本権を制限する代償として，中立の第三者機関である人事委員会に対して，勤務条件のうち特に重要な給料表について，報告及び勧告する権限を与えたものと解されている。

2　給料表に関する報告

給料表が適当であるかどうかについて報告する権限を人事委員会に対して与えた趣旨は，特に合理的な理由がない限り，人事委員会に対して報告する義務を課していると解されている。なお，報告とは通常，事実の通知の意味であるが，ここでは，適当であるかどうかという一定の評価が含まれるものである。

報告の時期については特に規定されていないが，一定の時期，例えば翌年度の予算編成に間に合うような時期に行うことが適当と解されている。

また，報告の内容については，単に給料表の額すなわち給与水準だけではなく，給料表の種類及び適用範囲，給料表に定める職務の等級の区分，等級における号給の幅，号給間差額，昇給期間などを含むものと解されている。

報告は，議会及び長に対して行われるが，これは，議会は給与に関する条例及びその予算を最終的に決定する権限を有する機関であり，長は給与に関する条例及びその予算の提案権を有する機関であるから当然の手続と考えられている。なお，執行機関の一つである人事委員会が，総轄者である長を経由せずに直接に議会に対して報告を行うこととされているのは，人事委員会に対し，人事行政に関する専門機関としての権威と独立性を認めたものと解されている。

3　給料表に関する勧告

人事委員会は，給料表に関する報告を行うに際して，給与を決定する諸条件の変化により，給料表に定める給料額を増減することが適当であると認めるときは，併せて適当な勧告を行うことができる。国家公務員法では，人事院は，給与を100分の5以上増減する必要が生じたときは，勧告をしなければならない（国公法28②）とされているが，地方公務員法では，特に増減の程度については触れていない。したがって，増減することが適当であると認められるときに勧告することとなる。この場合，勧告することは，権限というよりも責務であると解されている。

勧告とは，通常，ある意見を申し出て，相手方に対してその申出に沿う処理を勧め，又は促す行為で，指揮，命令又は意見具申のように上級機関と下級機関との関係ではなく，一般的には，対等，独立の機関相互の関係であり，法律上の拘束力はない。地方公務員法26条の規定による場合も同様であるが，労働基本権に対する制限の代償として行われるものであるので，勧告を受けた長及び議会は，これを十分に尊重すべきである。

なお，人事委員会を置かない地方公共団体及び特定地方独立行政法人には，このような勧告制度はないが，その議会及び長並びに理事長は，社会一般の情勢に適応するように給料表の改善措置を講じなければならない（法14①，地方独法53③）。

45 勤務時間

地公法24④，⑤

1 勤務時間の原則

職員の勤務時間は，条例によって定められる（法24⑤）が，これを定めるに当たっては，国及び他の地方公共団体の職員との間に権衡を失しないように適当な考慮が払われなければならない（法24④）。このように，給与以外の勤務条件についても均衡の原則が定められている。ただし，地方警察職員の勤務時間その他の勤務条件は，国の警察庁の職員の例を基準として定められ（警察法56②），また，単純労務職員，特定地方独立行政法人の職員及び地方公営企業の職員の場合は，労働協約や管理規程等で定められる（地公労法7，附則⑤，地方独法52，地公企法10）。また，労働基準法が適用される（法58③）ので，その定める基準を下回ることはできない。

労働基準法では，勤務時間は休憩時間を除き1日について8時間，1週間について40時間を超えてはならないとされている（労基法32）。なお，一般に職員の勤務時間は，毎週月曜日から金曜日まで，休憩時間を除き1日について7時間45分，週38時間45分とされている。

2 勤務時間の特例

（1） 変形労働時間制　変形労働時間制は，職務の繁閑に応じて勤務時間を弾力的に運用するもので，要件が異なる4種類がある。原則的なものは，1か月単位の変形労働時間制である。これは，1か月以内の期間（例えば4週間）を変形労働時間の単位期間とし，1週当たりの平均勤務時間が40時間以内であれば，1日8時間，1週40時間を超えて勤務することを可能とするものである（労基法32の2）。

このほか，①　労働者が始業と終業の時刻を自主的に決定するフレックスタイム制（労基法32の3），②　季節による業務の繁閑に応じるため，対象期間を1年以内とする1年単位の変形労働時間制（労基法32の4），③　日ごとの業務の繁閑に応じるため，1週間単位の非定型的変形労働時間制（労基法32の5）が定められている。

地方公営企業の職員及び単純労務職員については，①〜③の変形労働時間制も適用される（地公労法附則⑤，地公企法39①）が，一般職の職員については1か月単位の変形労働時間制のみが適用される（法58③）。

この変形労働時間制を行う場合は，地方公営企業の職員及び単純労務職員については就業規則，一般職の職員については勤務時間条例，規則その他通常の勤務時間を定める方法で定めておかなければならない。

（2）公益上の必要による特例　交通事業の乗務員の予備勤務者（労基則26）など，特定の事業で公衆の不便を避けるために必要なものその他特殊の必要のあるものについては，勤務時間の特例が認められている（労基法40①）。

（3）管理監督職員等の特例　監督者若しくは管理の地位にある職員又は機密の事務を取り扱う職員は，その勤務内容からみて，一定の勤務時間を決めることが適当ではないので，勤務時間の原則は適用されない（労基法41Ⅱ）。なお，この場合の管理監督職員及び機密の事務を取り扱う職員とは，地方公務員法52条3項で規定する職員団体との関係でいわれる「管理職員等」と必ずしも一致するものではない。

（4）監視又は断続的勤務の特例　肉体的にも精神的にも負担が重くない監視の業務を行う職員，あるいは勤務が強度でなく，時間的にも集積せず密度の低い断続的な勤務に従事する職員に対しては，労働基準監督機関の許可を得て勤務時間の原則を適用しないことができる（労基法41Ⅲ）。このようなものとしては，守衛，庁用自動車の運転手，宿日直を命じられた者等が考えられる。

（5）その他　次のような場合には，時間外勤務をさせることができる。①　災害その他避けることのできない事由によって臨時の必要がある場合で，労働基準監督機関の事前許可を受け，又は事後届出をした場合（労基法33①），②　官公署の事業（労基法別表第一に掲げる事業を除く。）に従事する職員に対して，公務のために臨時の必要がある場合（労基法33③），③　職員の過半数で組織する職員団体（これがない場合は職員の過半数を代表する者）と書面による協定（いわゆる三六協定）をし，労働基準監督機関に届けた場合（労基法36）

㊻ 時間外勤務命令

地公法 24 ④，⑤，労基法

1 概 要

地方公共団体の職員の勤務時間は，条例によって定められる（法 24 ⑤）が，労働基準法で定める基準を下回ることはできない（法 58 ③）。同法では，職員の勤務時間は，原則として1日8時間，1週 40 時間を超えてはならないとされている。平成8年4月からは，すべての地方公共団体で完全週休2日制が実施されており，現在，一般の職員の場合は，月曜日から金曜日まで1日7時間 45 分，1週間を通じて 38 時間 45 分というのが通例である。

さて，このようにして職員の正規の勤務時間が定められるのであるが，この正規の勤務時間以外に勤務が行われることがある。時間外勤務，宿直勤務及び日直勤務がそれである。そのうち，時間外勤務とは，正規の勤務時間外（正規の勤務時間の開始前及び終了後並びに休憩時間中）の勤務及び勤務を要しない日の勤務で，宿日直勤務に該当しないものである。

労働基準法が勤務時間の基準を定めたのは，労働者を保護することが目的なので，一般的にはこの時間外勤務を命じることは禁止されている。しかし，緊急に処理しなければならないことや，一定の時間内に行わなければならないことなどは生じうることなので，一定の場合に時間外勤務を命じることができるとされている。

なお，労働基準法の改正により，満 18 歳以上の女性についての時間外及び休日労働並びに深夜業の規制は，平成 11 年3月 31 日をもって廃止された。

2 時間外勤務の範囲

（1） 災害等の場合　災害その他避けることのできない事由により臨時の必要が生じた場合は，時間外勤務を命じることができる（労基法 33 ①）。ただし，労働基準監督機関に対し，事前に許可を受ける必要があり，その暇がない場合は，事後に遅滞なく届け出なければならない。この場合，現業・非現業を問わず，勤務を命じることができる。

（2）　公務上の臨時の必要に基づく場合　　官公署の事業（労基法別表第一に掲げる事業を除く。）に従事する職員に対しては，公務上臨時の必要がある場合においては，時間外勤務を命じることができる（労基法33③）。この場合は，災害等の場合であっても，労働基準監督機関に届け出る必要はなく，三六協定の締結も必要ない。

（3）　三六協定が締結されている場合　　三六協定とは，労働基準法36条に規定されている書面による協定をいい，当局と現業の事業場の職員の過半数で組織する職員団体若しくは労働組合又はこれらの団体がないときは当該事業場の職員の過半数を代表する者との間で，時間外勤務又は休日勤務に関して締結されるものである。協定の内容は，時間外勤務又は休日勤務をさせる必要のある具体的事由，業務の種類，対象となる職員数，延長できる時間等で，この協定を結び，労働基準監督機関に届け出れば，これに従って時間外勤務又は休日勤務を命じることができる。この場合でも，無制限に時間外勤務や休日勤務が認められるものではなく，原則として，１か月について45時間，１年について360時間が限度である（労基法36④）。

3　時間外労働の制限

使用者は，妊娠中の女性及び産後１年を経過しない女性が請求した場合，三六協定を締結していても，時間外労働若しくは休日労働又は深夜業（午後10時から翌日午前５時まで）をさせてはならない（労基法66）。

事業主は，３歳に満たない子を養育する労働者が請求した場合，事業の正常な運営を妨げる場合を除き，三六協定を締結していても，所定労働時間を超えて労働させてはならない（育児休業，介護休業等育児又は家族介護を行う労働者の福祉に関する法律16の８）。

また，事業主は，小学校就学前の子を養育する労働者又は要介護状態にある家族を介護する労働者が請求した場合，事業の正常な運営を妨げる場合を除き，三六協定を締結していても，１か月について24時間，１年について150時間を超えて労働時間を延長してはならず，また，深夜業をさせてはならない（育児休業，介護休業等育児又は家族介護を行う労働者の福祉に関する法律17①，18①，19①，20①）。

47 女性職員の勤務時間等の特例

地公法24④，⑤，労基法

1　概　要

地方公共団体の職員の勤務時間は条例によって定められるが，労働基準法に定める基準を下回ることはできない（法58③）。

労働基準法では，従来，女性の勤務条件について，女性保護及び母性保護の観点から様々な特例が設けられていた。しかし，この特例が，かえって女性職員の能力発揮の機会を妨げるおそれがあるので，昭和61年4月1日にいわゆる「男女雇用機会均等法」が施行されるとともに，労働基準法が改正された。その後，平成11年4月1日をもって，雇用の分野における男女の均等取扱いと女性の職域の拡大をいっそう進める観点から，男女雇用機会均等法の改正に併せて，母性保護と激変緩和措置とを除き，女性保護規定が解消された。

なお，農業又は動物飼育・畜産・漁業に従事する者，監督・管理の地位にある者又は機密の事務を取り扱う者，監視・断続的労働に従事する者で労働基準監督機関の許可を得たものは，労働基準法の妊産婦等に係る労働時間，休憩及び休日に関する規定は適用されない（労基法41）。

2　生理日の就業禁止

使用者は，生理日の就業が著しく困難な女性が休暇を請求したときは，その者を生理日に就業させてはならない（労基法68）。

3　母性保護

母性保護の観点から，妊娠中及び産後の一定期間に達するまでの女性について，次のような規定がある。

（1）　坑内業務の就業制限　　使用者は，妊娠中の女性及び坑内で業務に従事しないことを申し出た産後1年を経過しない女性を坑内で行われるすべての業務に就かせてはならない。また，それ以外の満18歳以上の女性を，坑内で行われる業務のうち人力で行われる掘削の業務等女性に有害な業務に就かせてはならない（労基法64の2）。

（2）　危険有害業務の就業制限　　妊産婦（妊娠中及び産後1年を経過

しない女性をいう。）を重量物を取り扱う業務，有害ガスを発散する場所における業務その他妊娠，出産，哺育等に有害な業務に就かせてはならない。また，女性を妊娠又は出産に係る機能に有害な業務に就かせてはならない（労基法64の3①，②）。

（3）産前産後の休業　使用者は，6週間（多胎出産の場合にあっては14週間）以内に出産する予定の女性が休業を請求した場合においては，その者を就業させてはならない。また，産後8週間を経過しない女性を就業させてはならない。ただし，産後6週間を経過した女性が請求した場合において，医師が支障がないと認めた業務に就かせることは，差し支えない（労基法65①，②）。

（4）妊婦の業務転換　使用者は，妊娠中の女性が請求した場合，他の軽易な業務に転換させなければならない（労基法65③）。

（5）時間外及び休日労働　使用者は，妊産婦（管理監督者を除く（労基法41Ⅱ）。）が請求した場合，変形労働時間制のとき（フレックスタイム制を除く。）であっても，休憩時間を除き，1週間について40時間を超えて，また，1日について8時間を超えて，労働させてはならない（労基法66①）。また，使用者は，妊産婦が請求した場合においては，非常災害等の場合，官公署の事業（労基法別表第一に掲げる事業を除く。）に従事する職員に対する公務のため臨時に必要がある場合及び三六協定を締結した場合であっても，時間外又は休日労働させてはならない（労基法66②）。

（6）深夜業　使用者は，妊産婦（管理監督者を含む。）が請求した場合においては，深夜業をさせてはならない（労基法66③）。

（7）育児時間　使用者は，生後満1年に達しない生児を育てる女性が請求した場合，1日2回，それぞれ少なくとも30分，その生児を育てるための時間を与えなければならない（労基法67）。

4　保護規定の解消に伴う措置

女性を深夜業に就ける場合，「深夜業に従事する女性労働者の就業環境等の整備に関する指針」（平成10年労働省告示21号）により，環境整備の指針が示されている。

㊽ 宿直及び日直勤務

地公法 24 ④，⑤

1 概 要

宿直及び日直勤務とは，正規の勤務時間以外の時間あるいは勤務を要しない日，休日等における，当該事業所の執務時間外又は閉庁日に行う勤務である。そのうち，宿直勤務とは，退庁時限から翌日の出勤時限までのものであり，日直勤務とは，出勤時限から退庁時限までのものである。

勤務内容は，宿直及び日直勤務とも同様で，設備等の保全，文書や電話の収受等内容の比較的軽い断続的なものである。したがって，労働基準法の適用に当たっては，同法 41 条 3 号に規定する「断続的労働」に該当し，労働基準監督機関の許可を受ければ，同法の労働時間，休憩及び休日に関する規定は適用されない。

なお，正規の勤務時間以外の時間等に行われる勤務として，時間外勤務あるいは休日勤務があるが，これらは，勤務内容が本来の職務を行うものである点が，宿直及び日直勤務とは異なる。したがって，宿直勤務や日直勤務に対しては時間外勤務手当が支給されるのではなく，宿直手当又は日直手当が支給される。

2 宿直及び日直勤務を命じる場合の根拠

宿直及び日直勤務を命じる場合，それが，通常の勤務を行った者に対し，更に加えて命じられるので，その根拠が問題とされる。

宿直及び日直勤務について規定しているのは，労働基準法施行規則 23 条で，次のように規定している。「使用者は，宿直又は日直の勤務で断続的な業務について，様式第 10 号によつて，所轄労働基準監督署長の許可を受けた場合は，これに従事する労働者を，法第 32 条の規定にかかわらず，使用することができる。」

宿直及び日直勤務を命じる場合の根拠の問題は，この労働基準法施行規則 23 条に法的根拠があるものかどうかという問題として論じられる。

批判的な説としては，労働基準法 41 条 3 号の「断続勤務」として，同法における労働時間等の規定の適用を受けないようにするための許可手続については，労働基準法施行規則34条で定められているので，宿直及び日直勤務の許可手続を定めた同規則23条は法律の委任に基づかない規則で違法であるとするものがある。

しかし，行政実例は，監視又は断続的労働に従事することは，必ずしもそれを本務とするものに限らず，宿日直勤務の如く本来の業務外において附随的に従事する場合を含む（行実昭23.3.17）としている。また，判例も，労働基準法施行規則23条が，同法41条の規定に基づくことを明示していないこと等から，本来の業務の外に宿（日）直勤務としての断続的勤務に従事する者が，同法41条3号の規定に該当しないものと断じることはできないとして，行政解釈を肯定する立場をとっている（東京高判昭38.10.12）。

3 宿日直勤務命令の制限

宿日直勤務を命じるためには，労働基準監督機関の許可が必要である。許可を受けるに当たっては，まず，勤務内容は，原則として本来の勤務に従事しないで行う事務（事業）所の設備，備品，書類等の保全，外部との連絡，緊急の文書の収受，定期的巡視及び非常事態発生に備えること等を目的とする断続的勤務である必要がある。したがって，本来の勤務の延長となるような場合は，時間外勤務として取り扱わなければならないものである。

次に，回数としては，原則として，同じ従事職員につき，日直勤務は月1回，宿直勤務は週1回である（労働省通達昭23）。ただし，小規模の出先機関等で，18歳以上のすべての男性職員を宿日直させてもなお員数が不足するような場合には，実態に応じて，回数を増やすことができるとされている（労働省通達昭33）。また，宿直勤務をさせる場合には，睡眠のための設備がなければならない。

なお，職員が妊産婦で請求した場合は，宿直勤務は深夜業となるので行わせることはできない（労基法66③）。

49 休憩時間

地公法 24 ④，⑤

1　概　要

職員が長時間にわたって継続的に勤務することは，心身の疲労を高め，仕事の能率を低下させる。そこで，勤務時間の途中に休憩時間が設けられている。この休憩時間については，労働基準法で規定され，地方公共団体の職員についても同法が適用されるので，同法で定める基準を下回ることはできないものである。

さて，休憩時間とは，勤務時間の途中に設けられるのであるが，この時間は勤務を要しない時間である。したがって，給与の支給対象とはならない。この点，原則として，少なくとも週 1 回与えられる休日（勤務を要しない日）と同様の性格となっている。

2　原　則

（1）　休憩時間の長さ　　休憩時間は，勤務時間が 6 時間を超える場合は少なくとも 45 分，8 時間を超える場合は少なくとも 1 時間，与えなければならない（労基法 34 ①）。

（2）　途中付与の原則　　休憩時間を与える場合は，勤務時間の途中に与えなければならない（労基法 34 ①）。したがって，勤務時間の始め又は終わりに与えるようなことはできない。なお，勤務時間の途中であれば，分割して与えることも可能である。

（3）　一斉付与の原則　　休憩時間は一斉に与えなければならない（労基法 34 ②）。これについては，非現業の官公署，地方公営企業の電車やバス，病院や保健所等については適用されない（労基法 40，労基則 31）。窓口業務の場合が問題とされるが，非現業の官公署については，この一斉付与の原則が適用されないので，いわゆる昼休み時間の窓口を閉鎖せず，交替で勤務させることは可能である。また，その他の職員についても，条例に特別の定めがある場合は可能である（法 58 ④）。

（4）　自由利用の原則　　休憩時間は自由に利用させなければならない（労基法 34 ③）。この時間は，勤務を要しない時間であり，任命権者の指揮監督は受けないものだからである。したがって，勤務時間中であれば所定の手続を経なければならないことも，休憩時間には自由に行うことができるのであり，例えば，外出を許可制にすることなどは，特別な理由がない限りできない。しかし，施設管理上の規律と抵触する場合は，制約を受けるのは当然である。

なお，この自由利用の原則については，警察官，消防職員，常勤の消防団員及び児童自立支援施設に勤務する職員で児童と起居をともにする者については適用されない（労基則33①Ⅰ）。また，乳児院，児童養護施設及び障害児入居施設に勤務する職員で児童と起居をともにする者についても，適用されない（労基則33①Ⅱ）。

3　休憩時間を与えなくともよい場合

地方公営企業の職員のうち，自動車事業及び電車事業の運転手，車掌で，長距離間を継続して乗務する者については休憩時間を与えないことができる（労基則32①）。また，短距離の乗務員であっても，その業務の性質上休憩時間を与えることができないと認められる場合で，その勤務中の停車時間，折返しによる待合せ時間等の合計，すなわち手待時間が労働基準法34条1項に規定する休憩時間に相当するときは，休憩時間を与えないことができる（労基則32②）。

4　管理監督職員等と監視又は断続的勤務に従事する者の特例

①　農林，畜産，水産等の事業に従事する者，②　監督若しくは管理の地位にある者又は機密の事務を取り扱う者，③　監視又は断続的勤務に従事する者で，労働基準監督機関の許可を受けたものについては，休憩時間に関する労働基準法34条の規定は適用されない（労基法41）。

50 勤務を要しない日及び休日

地公法 24 ④，⑤

1　概　要

地方公共団体の常勤の職員は，通常，日曜日及び土曜日を週休日として勤務を休むほか，春分の日のような国民の祝日には勤務を行わないのが通常である。この場合，前者を「勤務を要しない日」といい，後者を単に「休日」という。

勤務を要しない日とは，労働基準法 35 条に規定する「休日」に当たるもので，本来，勤務義務を課されていない日のことである。

次に述べるように，労働基準法では，原則として週１回の週休日を与えれば足りるが，職員の場合は，一部の者を除き，完全週休２日制が実施されている。なお，地方公営企業の職員，警察職員，消防職員等については，４週間に８日の割合で週休日が定められる。

また，休日とは，本来は，勤務を行わなければならない日であるが，休日として設けられた趣旨（国民の祝日に関する法律３）を尊重し，勤務義務が免除される日をいう。休日には，このほか，年末年始（12 月 29 日から１月３日まで。ただし，国民の祝日に関する法律３条に規定する休日を除く。）及び個々の地方公共団体の休日（自治法４の２③）がある。

2　労働基準法の適用

休日を与えるに当たっては，特に労働基準法に規定がないので，条例で規定すれば足りる。しかし，勤務を要しない日を定めるに当たっては，労働基準法に規定があり，これを下回ることはできない。同法によると，毎週少なくとも１回勤務を要しない日を与えなければならない（労基法 35 ①）。その与え方については，特に規定されていないので，そのつど指定する日とすることも可能であるが，その設けられた趣旨が，職員の健康を守ると同時に，職員の社会的，文化的生活を営むための余暇を確保するところにあることを考えると，あらかじめ曜日等を特定すべきであろう。なお，この規定は，４週間を通じ４日以上の勤務を要しない日を与える場合は適用されず（労基法 35 ②），勤務を要しない日を毎週１回とする必要は必ずしもない。

3　勤務を要しない日の勤務及び休日の勤務

勤務を要しない日の勤務については一定の制限があるが，休日の勤務については特に制限はない。この違いは，前者は，本来，勤務義務を課されていない日であるのに対し，後者は単に勤務義務が免除されているのにすぎないところから来るものである。

勤務を要しない日に勤務をさせることができるのは，次の場合である。①　災害その他避けることのできない事由によって，臨時の必要がある場合（労基法33①）。この場合は，事前に，労働基準監督機関の許可を受けるか，事後に遅滞なく届け出なければならない。②　公務のために臨時の必要がある場合（労基法33③），③　当該事業場において，職員の過半数で組織する職員団体（労働組合）がある場合はその職員団体（労働組合），それがない場合は，職員の過半数を代表する者と，書面により協定（三六協定と呼ばれる。）を行い，これを労働基準監督機関に届け出た場合（労基法36）

勤務を要しない日に勤務を行った場合には時間外勤務手当が，休日に勤務を行った場合には休日勤務手当が支給される。勤務を要しない日は，もともと給料の支給対象とはされていないので，その日に勤務した場合には新たに給与が支給されるのは当然である。休日は給料の支給対象とされているので，勤務した場合に支給される休日勤務手当は，加算給としての性格を有している。

また，それぞれ勤務を行った場合には，時間外勤務手当又は休日勤務手当を支給せず，それぞれ他の日に振替えることができる。

勤務を要しない日の振替については，勤務を要しない日に行われた勤務が，振り替えようとしている日の正規の勤務時間と同じかそれ以上の場合でなければならない。そして，その振替手続は，事前に行われる必要があり，週休制の原則にのっとって行われなければならないものである。なお，休日の振替についても，勤務を要しない日の振替に準じて取り扱われる必要があろう。

51 休　　暇

地公法 24 ④，⑤

1　概　要

職員は，勤務を要する日に法律又は条例に基づいて，任命権者に申請又は届出を行って勤務義務の免除を受けることができる。これを一般的には休暇という。休日と異なる点は，休日は，あらかじめ定められており，その日は自動的に勤務義務が免除されるものである。

休暇には，事由を限定せずに与えられる年次有給休暇と特定の事由に基づいて与えられる病気休暇，特別休暇及び介護休暇がある。なお，労働基準法で定める休暇のうち，給与が支給されなければならないとされているのは，年次有給休暇だけであり，そのほかは，労使の自主的判断にゆだねられている。

2　年次有給休暇

6か月間継続して勤務し全勤務日の8割以上出勤した職員に対しては10日の有給休暇を与えなければならない（労基法 39①）。この有給休暇の日数は，1年6か月以上継続して勤務した職員には，6か月を超える継続勤務年数1年について，2年目までは1日ずつが，3年目からは2日ずつが加算される。しかし，この結果総日数が20日以上となる場合は，20日を超える日数については有給休暇を与えなくてよい（労基法 39②）。なお，地方公共団体の職員には，一般的に，条例で勤続2年目以降は20日の年次有給休暇が与えられている。

この有給休暇は，職員の請求のあった時季に与えなければならない。しかし，その時季に有給休暇を与えることが事業の正常な運営を妨げる場合には，他の時季に変更することができる（労基法 39⑤）。任命権者の持つこの権限を，時季変更権という。なお，年次有給休暇の請求権は，翌年まで繰り越すことができる（労基法 115）。

3　請求の意味

この有給休暇を与える時季について，労働基準法では，職員の請求する時季に与えなければならないと規定している（労基法 39⑤）が，この職員の「請求」がどのような性格を持つのかについては，従来から争われてきた。つまり，職員の有給休暇は，「請求」に対する「承認」があってはじめてとれるのか，あるいは特に「承認」は必要ないのか，必要がないとした場合，「請求」はどのような意味を持つのか，である。

（1）　**請求権説**　最も早く現われたのが請求権説といわれるものである。これによると，労働基準法39条1項及び2項では，有給休暇に対し「与えなければならない」とか「与えることを要しない」と表現しており，この与える行為，すなわち承認があってはじめて有給休暇権が発生すると考えるものである。したがって，有給休暇に対し，職員が行う「請求」というのは，文字どおり請求権を規定したものと解するのである。ただし，この場合，使用者は，労働基準法39条5項ただし書に規定されているように，事業の正常な運営を妨げる場合を除いては，承認を与える義務があると解するものである。

（2）　**形成権説**　次に登場するのが形成権説である。この説は，「請求」というのは，使用者の承認を要することを意味するのではなく，有給休暇の始期と終期の決定を職員にゆだねるという形成権（権利者の一方的な意思表示で法律関係の変動を生じさせる地位）を意味すると解するのである。

（3）　**時季指定説**　以上の説を批判するかたちで現われたのが時季指定説である。この説は，有給休暇をとる権利は，労働基準法39条1項及び2項によって根拠づけられるもので，同条5項にいう「請求」は，単に，その時季を指定する行為にほかならないとするものである。つまり，5項にいう「請求」は「時季」に対してのみかかる言葉であり，有給休暇をとる権利は1項及び2項の要件の充足によって法律上当然に生じ，この権利を行使する時季を指定する行為が5項の「請求」にほかならないとするものである。

以上のように，有給休暇の請求については見解が分かれているが，昭和48年3月2日，最高裁判所の白石営林署事件判決でもみられるように，時季指定説が通説となっている。

㊾52 病気休暇，特別休暇等

地公法 24 ④，⑤

1　病気休暇

病気休暇は，職員が負傷又は疾病のため療養する必要があると認められる場合の休暇であり，任命権者の承認を受ける必要がある。一定期間，有給とされる。

2　特別休暇

特別休暇は，特別の事由がある場合に与えられる休暇である。任命権者の承認を受ける必要がある。有給とされる。

主なものは，つぎのとおりである。

（1）　公民権行使等休暇　職員が勤務時間中に，選挙権その他公民としての権利を行使し，又は公の職務を執行するために必要な時間を請求したときは，これを認めなければならない。ただし，権利の行使又は公の職務の執行に妨げがない限り，請求された時刻を変更することができる（労基法 7）。公民としての権利行使には，選挙権のほか最高裁判所裁判官の審査権，日本国憲法改正の場合の国民投票権，請願権，地方自治法による住民の直接請求権，監査請求権及び住民監査請求権等が考えられる。

また，公民としての公の職務の執行には，選挙の際の投票立会人等地方公共団体の公務の適正な執行を監視するための職務，法令に基づく裁判員，証人，鑑定人，参考人等として国会，裁判所その他官公署に出頭する場合等が考えられる。

（2）　妊娠出産休暇　6 週間（複数の子を妊娠している場合は 14 週間）以内に出産する予定の女性職員から請求があった場合及び産後 8 週間を経過しない女性職員には，特別な休暇を与えなければならない（労基法 65 ①，②）。

（3）　母子保健健診休暇　妊娠中の，又は出産後 1 年を経過しない女性職員が医師等の健康診査又は保健指導を受けるための休暇である。

（4）　妊婦通勤時間　妊娠中の女性職員が通勤に利用する交通機関の混雑が著しく，職員の健康維持及びその胎児の健全な発達を阻害するおそれがあるときに，交通混雑を避けるための休暇である。

（5）　**育児時間**　　満1年に達しない生児を育てる女性職員には，請求があった場合，休憩時間のほかに，1日2回それぞれ少なくとも30分間の育児時間を特別休暇として与えなければならない（労基法67）。

（6）　**育児参加休暇**　　男性職員が，その配偶者の産前産後の期間に，育児に参加するための休暇である。

（7）　**生理休暇**　　生理日の就業が著しく困難な場合な女性職員が，生理休暇を請求したときは，その者を就業させてはならない（労基法68）。

（8）　**慶弔休暇**　　職員が結婚する場合，職員の親族が死亡した場合その他の勤務しないことが相当と認められる場合の休暇である。

（9）　**災害休暇**　　職員の現住居が災害，水害，火災その他の災害により滅失し，又は損壊したことにより，職員が当該住居の復旧作業等のため勤務しないことが相当と認められる場合の休暇である。

（10）　**夏季休暇**　　夏季の期間（7月1日から9月30日まで）において，職員が心身の健康の維持及び増進又は家庭生活の充実のため勤務しないことが相当と認められる場合の休暇である。

（11）　**長期勤続休暇**　　長期にわたり勤務した職員が心身の活力を維持し，及び増進するため勤務しないことが相当と認められる場合の休暇である。

（12）　**ボランティア休暇**　　職員が自発的に，かつ，報酬を得ないで社会貢献する活動を行う場合で，その勤務しないことが相当であると認められるときの休暇である。

3　介護休暇

介護休暇は，職員が配偶者（内縁関係にある者を含む。），父母，子，配偶者の父母等で，負傷，療養又は老齢により一定期間日常生活を営むのに支障があるものの介護をするために認められる休暇である。期間は，連続する6か月以内であり，その間の給与は減額される。

4　介護時間

職員が要介護者の介護をするため，勤務しないことが相当であると認められる場合に，一日の勤務時間の一部について勤務しないことができるものである。

㊾ 育児休業

地公法26の4，育休法

1　意　義

育児休業は，職員が育児のため，長期間に渡って休業をすることができる制度である。この制度は，子を養育する職員の継続的な勤務を促進させるとともに，職業生活と家庭生活を両立させる意義を有する。

2　対象となる職員

職員であれば男女を問わない。ただし，育児短時間勤務職員の業務を処理するために採用された短時間勤務職員，臨時的に任用される職員及び任用状況が類似する条例で定める職員を除く（育休法2①）。

3　期　間

子が3歳に達する日までである。ただし，非常勤職員にあっては，子の養育事情に応じ，1歳に達する日から1歳6か月に達する日までの条例で定める日までである（育休法2①）。

4　手　続

職員は，任命権者に対し，育児休業をしようとする期間を明示して承認を請求する（育休法2②）。この場合，任命権者は，原則として承認しなければならない（育休法2③）。

育児休業は，同一の子について原則として1回に限られるが，条例で定める特別の事情がある場合は，再度の育児休業が認められることがある（育休法2①ただし書，地方独法53⑤）。

育児休業期間については，原則として1回に限り延長できる（育休法3）が，再度の育児休業，育児休業期間の延長の場合とも，育児休業期間は子が3歳に達する日までが限度である。

5　給与等

育児休業期間は，給与は支給されない（育休法4②）。ただし，条例の定めるところにより，期末手当又は勤勉手当を支給することができる（育休法7）。

育児休業をしている職員には，共済組合から短期給付として育児休業手当金が支給される（地共法53①）。また，育児休業期間中は，共済掛金が免除される（地共法114の2）。

6　育児休業に伴う任期付採用又は臨時的任用

育児休業の請求があった場合でその請求した職員の業務を処理することが困難なときは，任命権者は，育児休業期間を限度として，任期付採用又は臨時的任用を行うものとする（育休法6①）。任期付採用の場合，採用する職員に任期を明示しなければならず（育休法6②），また，臨時的任用の場合，その任期は請求に係る期間を限度として1年を超えることはできない（育休法6①）。

7　不利益取扱いの禁止

職員は，育児休業を理由として，不利益な取り扱いを受けることはない（育休法9）。

8　育児短時間勤務

小学校就学前の子を養育する職員（非常勤職員，臨時的任用職員及び条例で定める類似する職員を除く。）は，任命権者の承認を受けて，職員が希望する日及び時間帯に勤務することができる（育休法10①）。

9　部分休業

小学校就学前の子を養育する職員は，任命権者の承認を受けて，1日の勤務時間の一部（2時間を限度とする。）について勤務しないことができる。ただし，職員については，育児短時間勤務職員及び条例で定める類似する職員を除く。また，短時間勤務の非常勤職員を除く非常勤職員にあっては，子が3歳に達するまでである（育休法19①）。この場合，給与は，条例の定めるところにより，減額される（育休法19②）。

54 高齢者部分休業，配偶者同行休業

地公法 26 の 3，26 の 6

1 休業の種類

地方公務員法は，休業の種類について育児休業のほか，自己啓発等休業，配偶者同行休業及び大学院修学休業とし（法 26 の 4 ～26 の 6），修学部分休業及び高齢者部分休業についても規定している（法 26 の 2，26 の 3）。

ここでは，高齢者部分休業と配偶者同行休業について述べる。

2 高齢者部分休業の意義

超高齢者社会を迎え，定年退職後の人生設計をどのように考えるかは重要であるが，定年前であっても一定の年齢に達した場合は，職員個人の状況に合わせた人生設計も同様に重要である。

定年前の一定の期間，部分休業を認めることは，ボランティア等地域活動に参画する時間を創出するなど，単に個人のライフスタイルを超えた効果が期待できる。特に，生活全体が公務外であっても地域と一体となっていると言える市町村職員にとっては，地域ボランティア活動を通じて得た経験，人脈等を公務にフィードバックすることにつながる点でも有意義である。

また，この制度を利用している職員同士によるワークシェアリングを行うことは，業務の一部を若年層の職員に行わせることが可能になり，地域雇用の刺激策としても有効であると考えられる。

3 高齢者部分休業制度

この制度は，高年齢として条例で定める年齢に達した職員が，条例で定める日以後の日で申請において示した日から定年退職日までの期間中，1週間の勤務時間の一部について勤務しないことを認めるものである。ただし，職員については，臨時的任用職員等任期を定めて任用される職員及び非常勤職員を除く（法 26 の 3①）。

任命権者は，職員が申請した場合，公務の運営に支障がないと認めるときは，条例で定めるところにより，承認することができる（法 26 の 3①）。

高齢者部分休業期間中，給与は減額して支給される（法 26 の 3②）。

その職員が休職又は停職の処分を受けた場合には，高齢者部分休業の承認の効力を失う（法26の3②）。

4　配偶者同行休業の意義

近年，企業等の経済活動は全世界規模で展開されてきており，企業等に勤務する配偶者が海外勤務を命じられた場合に，職員は，職を辞して配偶者と共に海外で居住することが増えてきている。このような場合に，有為な人材が継続して勤務できるようにするものである。

5　配偶者同行休業制度

この制度は，職員が，外国での勤務等条例で定める事由により外国に住所又は居所を定めて滞在する配偶者（事実上婚姻関係にある者を含む。）とその住所又は居所において生活を共にするために，休業をすることができるものである。ただし，職員については，臨時的任用職員等任期を定めて任用される職員及び非常勤職員を除く（法26の6①）。

任命権者は，職員が申請した場合，公務の運営に支障がないと認めるときは，条例で定めるところにより，承認することができる（法26の6①）。配偶者同行休業期間については，原則として1回に限り延長できる（法26の6②，③）。

配偶者同行休業期間中，職員は，休業開始時等の職を保有するが，職務には従事せず，給与は支給されない（法26の6⑪）。

その職員が休職若しくは停職の処分を受けた場合又は配偶者が死亡し，若しくは職員の配偶者でなくなった場合には，配偶者同行休業の承認の効力を失い（法26の6⑤），また，その職員が配偶者と生活を共にしなくなったこと等条例で定める事由に該当する場合には，その承認を取り消すものとされている（法26の6⑥）。

配偶者同行休業の申請があった場合でその職員の業務を処理することが困難なときは，任命権者は，申請期間を限度として，任期付採用又は臨時的任用を行うことができるが，臨時的任用の場合，任期が1年を超えることはできない（法26の6⑦）。

55 修学部分休業，大学院修学休業，自己啓発休業

地公法 26 の 2，26 の 4，26 の 5，教特法 26～28

1　休業の種類

地方公務員法は，休業の種類について育児休業のほか，自己啓発等休業，配偶者同行休業及び大学院修学休業とし（法 26 の 4 ～26 の 6），修学部分休業及び高齢者部分休業についても規定している（法 26 の 2，26 の 3）。

ここでは，修学部分休業，大学院修学休業及び自己啓発休業について述べる。

2　これらの休業の意義

最近は，視野が広く，先例にとらわれない柔軟で活発な発想を持ち，様々な課題に迅速かつ適切に対処できる職員が求められている。そのため，各地方公共団体は，職員研修を行い，また，民間企業や大学院等へ積極的に研修のため派遣し，人材育成を図っている。一方，自らの意思に基づき，自ら望む内容を大学等で学習・研究をしてみたい，また，大学等へ通わなくても自分の能力を更に伸ばしたい，あるいは国際協力の促進に資する奉仕活動をしたいと望んでいる職員も少なくないと考えられる。このような職員の自発的意欲に応えて，自主的な研さんの時間の確保を容易にする制度は，職員の能力開発の点で大きな意義を有する。

3　修学部分休業

この制度は，職員が，大学等における修学のため，修学に必要な期間として条例で定める期間中，１週間の勤務時間の一部について勤務しないことを認めるものである。ただし，職員については，臨時的任用職員等任期を定めて任用される職員及び非常勤職員を除く（法 26 の 2①）。

任命権者は，職員が申請した場合，公務の運営に支障がなく，かつ，その職員の公務に関する能力の向上に資すると認めるときは，条例で定めるところにより，承認することができる（法 26 の 2①）。

修学部分休業期間中，給与は減額して支給される（法 26 の 2③）。

その職員が休職又は停職の処分を受けた場合には，修学部分休業の承認の効力を失う（法 26 の 2②）。

4　大学院修学休業

この制度は，専修免許状の取得を目的とする等一定の要件を満たす主幹教諭，指導教諭，教諭等が，任命権者の許可を受けて，３年を超えない期間，大学院の課程等に在学してその課程を履修するために，休業することができるものである（教特法26①）。

大学院修学休業期間中，主幹教諭等は，地方公務員としての身分は保有するが，職務に従事せず，給与は支給されない（教特法27）。

その主幹教諭等が休職又は停職の処分を受けた場合には，大学院修学休業の許可の効力を失い（教特法28①），また，その主幹教諭等大学院の課程等を退学したこと等政令で定める事由に該当する場合には，その許可を取り消すものとされている（教特法28②）。

5　自己啓発等休業

この制度は，３年を超えない範囲内の条例で定める期間，職員が大学等課程の履修又は国際貢献活動に参加するために，休業をすることができるものである。ただし，職員については，臨時的任用職員等任期を定めて任用される職員及び非常勤職員を除く（法26の5①）。

任命権者は，職員が申請した場合，公務の運営に支障がなく，かつ，その職員の公務に関する能力の向上に資すると認めるときは，条例で定めるところにより，承認することができる（法26の5①）。

自己啓発等休業期間中，職員は，休業開始時等の職を保有するが，職務には従事せず（法26の5②），給与は支給されない（法26の5③）。

その職員が休職又は停職の処分を受けた場合には，自己啓発等休業の承認の効力を失い（法26の5④），また，その職員が大学等課程の履修を取り止める等条例で定める事由に該当する場合には，その承認を取り消すものとされている（法26の5⑤）。

56 職員の身分保障

地公法 27

1 職員の責任

職員は，全体の奉仕者として公共の利益のために，地方公共団体の行政が民主的・能率的に運営されるように勤務しなければならない義務を負っており，その職務の遂行に当たっては，全力を挙げてこれに専念しなければならないとされている（法 30）。したがって，職員がその職責を十分に果たすことができない場合には，一定の責任を負わなければならない。

職員の義務違反に伴う責任をただす制度として，地方公務員法は分限と懲戒とを定めている（法 27）。また，そのほかに公法上の賠償責任及び刑事責任がある。分限は，職員が一定の事由によりその職責を十分に果たすことができない場合に，本人の意に反しても不利益な身分上の変動を伴う処分を行うものである。懲戒は，職員の服務義務（法 30～38）の違反に対して，公務員関係における秩序を維持するために，任命権者が職員の道義的責任を追及して科する制裁である。公法上の賠償責任は，職員が職務の執行に関連して地方公共団体又は第三者に損害を与えた時に生じる，私法上の問題とは別な公法上の特別な賠償責任を負うことがあることを指す。刑事責任は，職員が職務に関連して犯罪を犯した場合の刑罰である。

なお，国の汚職事件を契機として，関係業者からの接待や贈与を原則として禁止する「国家公務員倫理法」が平成 12 年 4 月から施行された。この法の中で，地方公共団体及び特定地方独立行政法人は，国の施策に準じて地方公務員の職務に係る倫理の保持のために必要な施策を講じるよう努めるものとされた（同法 43）。

2 分限制度の意義

分限制度は，職員の身分保障に関する基本的な規定を意味している。

すなわち，職員は良好な成績でその職務を遂行しなければならない義務を負っており，その職責を一定の事由によって十分に果たすことができない場合（法 28 ①，②），本人の同意を必要としないで降任，免職，休職及び降給という不利益な身分上の変動を伴う処分を受け，その責任を問われることになる。

しかし，このことは逆に，職員が十分にその職責を果たしている限り，職員の意に反して免職等の不利益な処分を受けることがないという意味において，職員はその身分が保障されていることになる。

分限制度は，職員の身分を保障し，更に公務の中立性と安全性を確保しようとするものである。つまり，分限処分の最終目的は，公務能率の維持向上を図ることにあり，当該処分の対象職員を非難することにあるのではない。

3　分限処分の基準

職員に対して任命権者が分限処分を行う場合には，公正な取扱いをしなければならないことを法は明らかにし，義務づけている（法27①）。また，分限処分の事由については，法に規定されているので（法28），それに従わなければならない。そもそも，職員については平等取扱いの原則（法13）と不利益取扱いの禁止の条項（法36④，56）が適用される。それにもかかわらず，特に公正の原則を明示しているのは，分限処分は職員にとっては重大な身分上の不利益を被るからであり，他方，任命権者の処分についての裁量が恣意に流れることのないようにと戒めたものである。

ここで公正とは，処分を行うかどうかの決定及びその処分の種類，程度の決定が，公平かつ適正に行われるべきであることをいう。

4　失　職

職員が欠格条項（法16）に該当したときは，法律上当然にその職を失う（法28④）。欠格条項のうち，職員が禁錮以上の刑に処せられた場合（執行猶予を含む。）とは確定判決をいうので，控訴したときには失職の法的効果は生じない（行実昭29.11.18）。なお，この場合に分限免職又は懲戒免職にすることは可能である（行実昭28.12.10）。

また，職員の意に反する降任，免職，休職及び降給の手続及び効果については，法律に特別の定めがある場合を除き，条例で定める（法28③）こととされている。この分限条例において，「禁錮以上の刑が確定した場合であっても執行猶予が付いたときは，情状により職を失わないものとすることができる。」と定めることは可能である。

57 分　　限

地公法 27，28

1　分限処分の種類

分限制度は，職員が一定の事由によってその職責を十分に果たしえない場合に，公務能率の維持向上のため，任命権者が本人の意に反しても，身分上の変動を伴う職員にとって不利益な処分を行うことができるとする制度である。なお，「意に反して」とは，「同意を要しないで一方的に」という意味に解されている（行実昭 28.10.22）。

地方公務員法では，分限処分として降任，免職，休職及び降給の 4 種類を定めており（法 27②），それぞれの内容は次のとおりである。

（1）　降任　　降任とは，職員をその職員が現に任命されている職より下位の職制上の段階に属する職員の職に任命することをいう（法 15 の 2①Ⅲ）。

（2）　免職　　免職とは，職員の意に反してその職を失わせる処分をいい，処分の目的は異なるが，身分を失わせる効果は懲戒免職と同様である。職員の願による辞職の発令は，職員がその意思により職員としての身分を失うものであり，分限処分としての免職には該当しない。また，職員の失職（法 28④）は，職員の意思にかかわりなく職員としての身分を失うものであり，これまた分限処分としての免職ではない。

（3）　休職　　休職とは，職を保有したまま，職員を一定期間職務に従事させない処分をいう。ただし，当該職を他の職員をもって補充することを妨げない（行実昭 36.12.21）。処分の目的は異なるが，職務に従事させない点は，懲戒処分としての停職と同様の効果を持つ。

（4）　降給　　降給とは，職員が現に決定されている給料額よりも低額の給料額に決定する処分をいう。懲戒処分としての減給は，一定期間を限って給料の一定割合を減額し，その期間の満了とともに元の給料額に復するが，降給は給料額そのものを変更するものである。また，降任に伴い給料が下がるのは降給ではなく（行実昭 28.2.23），職務と責任の変更により給料の号給が下がる場合も降給ではない（行実昭 28.10.6）と解されている。

2　分限処分の事由

（1）　降任及び免職（法28①）　次の四つの場合があり，降任と免職とのいずれの処分をするかは，その内容・程度に応じて任命権者が裁量により決定すべきであり，裁量の範囲を逸脱してはならないとされている（最判昭48.9.14）。

①　人事評価又は勤務の状況を示す事実に照らして勤務実績がよくない場合，②　心身の故障のため職務の遂行に支障があり，又はこれに堪えない場合。②は長期間の療養によっても治らず，職務遂行に支障があることが明らかな場合でなければならない。また，公務に起因する場合には，解雇制限（労基法19）の適用があることに注意する必要がある。③　その職に必要な適格性を欠く場合。どのような場合が該当するかは各場合に応じて当該行為の性質，態様等を検討して決めざるをえない（大阪地判昭27.5.6）。④　職制若しくは定数の改廃又は予算の減少により廃職又は過員を生じた場合

（2）　休職（法28②）　次の三つの場合がある。①　心身の故障のため長期の休養を要する場合，②　刑事事件に関し起訴された場合。この場合，その職員を休職にするかどうかは任命権者の自由裁量であり，犯罪の成否，身体の拘束その他の事情の有無を問わず（東京高判昭35.2.26），また，採用以前から起訴されている事実があり，採用後そのことが判明したときも処分できる（行実昭37.6.14）。更に，在籍専従職員が起訴されたときも処分できる（行実昭38.9.20）。③　条例で定める場合（法27②）。条例の制定に当たっては，国家公務員の場合におけるその他の休職事由，他の地方公共団体との均衡，特別休暇制度や職務専念義務免除との関係等に配慮する必要がある。

（3）　降給（法27②）　条例で定めることとされているが，できるだけ明確に規定するとともに，当該事由は，職員個々について処分を行う必要があるものに限られると解されている（行実昭30.10.12）。しかし，国においても降給の事由は定められておらず，また，これを規定することは，当分の間，技術的に困難であるとされている（行実昭26.9.4）ので，一般的には行われていない。

58 分限処分の手続等

地公法 28

1　条例主義

職員の意に反する降任，免職，休職及び降給の手続及び効果については，法律に特別の定めがある場合を除いて条例で定めなければならないとされている（法 28③）。その理由は，分限処分は職員にとって重大な身分上の変動を伴う不利益処分であるからである。

2　手　続

心身の故障により，降任，免職又は休職を命ずる場合には，所定の医師の診断に基づかなければならない。そして，処分を行う場合は，その旨を記載した文書を交付して行う。その際，処分の事由を記載した説明書を交付しなくてはならない（法 49①）。ただし，この説明書の交付がなくても処分そのものが適法に行われている限り有効であり，行政不服審査法に基づく教示（同法 82）の一種であるとされている。また，処分はその意思表示が相手方に到達した時に効力を生ずるから，過去にさかのぼって分限処分を行うことはできない。所在不明となった職員について処分を行う場合は，公示送達の手続（民法 98）等によることができる（行実昭 30.9.9）。

3　休職の効果

心身の故障による場合の休職期間は，３年を超えない範囲で休養を要する程度に応じて任命権者が定める。この場合，休職期間中であっても事由が消滅したときは，直ちに復職を命じなければならない。また，休職期間の満了時に職員が自動的に退職する旨を条例で規定することは，分限免職にほかならないので適当でないと解されている（行実昭 26.8.21）。

刑事事件に関し起訴された場合の休職期間は，当該刑事事件が裁判所に係属する期間である。そして，当該職員を職務に従事させることが公務の信用を維持する上から適当でないという判断に基づいているので，休職期間中であっても懲戒免職をすることは可能である（行実昭 26.11.30）。

その他，休職者を定数外として取り扱うことができると解され（行実昭 27.2.23），休職中の給与は，休職事由に応じて相当の給与を支給することになっている。

4 条件付採用期間中の職員及び臨時的任用職員の特例

条件付採用の制度の性質上，また，臨時的任用期間は短期間であるので，正式任用の職員と同様な身分保障をする必要はないと考えられ，公正の原則（法27①）を除き，分限に関する規定（法27②，28①～③）は適用されない（法29の2①）。ただし，これらの職員について条例で必要な事項を定めることができ（法29の2②），その範囲内で身分保障が行われる。

5 教育公務員等の特例

学長，教員及び部局長は，大学の自治の原則に基づき，評議会等の審査の結果によるものでなければ免職されることはなく，教員の降任についても同様である（教特法5①）。

県費負担教職員の分限処分は，市町村教育委員会の内申に基づき，任命権者である都道府県教育委員会が行う（地教行法38）。また，その手続及び効果に関する事項は，都道府県の条例で定めなければならない（地教行法43③）。更に，公立学校の校長及び教員の休職期間について，結核性疾患の場合は満2年であり，特に必要があると認められるときは，満3年まで延長できる（教特法14①）。

6 地方公営企業の職員及び単純労務職員

降職，免職及び休職の基準に関する事項は，団体交渉の対象となっている（地公労法7，附則⑤）。

7 労働基準法による分限免職処分の特例

職員には労働基準法の規定が原則として適用されるので（法58③），職員が公務上負傷し，又は疾病にかかり療養のために休養する期間及びその後30日間と，産前産後の女性職員が労働基準法65条により休業する期間及びその後30日間は，原則として，任命権者は免職できない（労基法19①）。そして，任命権者が職員を分限免職しようとする場合は，原則として，30日前の免職予告又は30日分以上の平均賃金の支払いを必要とする（労基法20①）。

59 依願休職

地公法28②

1　休職の事由

心身の故障のため長期の休養を要する場合及び刑事事件に関し起訴された場合は，休職処分の事由となる（法28②)。このほかに，職員の意に反する休職事由を条例で定めることができる（法27②）とされている。

2　依願休職の可否

職員の意に反しない，すなわち職員の同意に基づく，いわゆる依願休職が認められるかどうかについては，現行法では明らかになっていない。依願休職が実際上問題となるのは，休職事由に該当しない場合なのに，職員が休職を願い出た場合の取扱いである。

国家公務員法の解釈として，人事院は次のような見解を示している。

職員に対する休職処分は本来公法上の単独行為としてなされるものであって，その職員の意思の有無は当該処分の発令に際してなんら影響を与えるものではない。したがって国家公務員法79条（分限休職）は，同条に規定する事由がある場合においては，職員の意思の有無に関係なく（場合によっては，その意に反してでも）同条によりその職員を休職とすることができる旨を規定したものであって，同条に規定する休職は職員の意に反する場合のみに限られないものと解すべきである（人事院行実昭26.1.12）として，肯定的に解釈している。

他方，行政実例においては，法上における休職は，27条2項又は28条2項各号の場合に限られるもので，設問（母親を看病するという他動的理由）の場合休職を命ずることはできない（行実昭38.10.29）と解釈し，法律に規定する休職事由に該当する場合に限定している。

判例として，最高裁判所は次のように判示している。

地方公務員法28条は，その意に反して休職することができる場合を規定しているけれども，その意に基づく休職については法律に何等の規定がない。休職は退職と異なり公務員について職員たる身分を保有しながら職務に従事しない地位におくことであって，このような状態は，28条2項各号の場合のほか，本来法律の予定するところではないのであるが，それにもかかわらず，当該公務員が休職を希望し，任命権者が休職処分の必要を認めて依願休職処分をした場合に，あえてこれを無効としなければならないものではなく，かく解釈したからといって，もともと休職が本人の意思に基づくものである以上，当該公務員の権利を害することはない（昭35.7.26）として，最高裁判所は広く認めていると解される。

具体的な問題が生じた場合には，最高裁判所の判例に従わざるをえないが，依願休職を認めるかどうかは，その必要性の有無，職務専念義務との関連，給与の取扱い等を勘案すべきであり，行政法上，人事管理上の一つの問題点であり，今後とも検討を要する。

3　依願休職の事由と条例の定め

それでは，次のような事由により依願休職願が提出された場合はどうであろうか。

（1）　学校，研究所その他これらに準じる公共的施設において，その職員の職務に関連があると認められる学術に関する事項の調査，研究又は指導に従事する場合

（2）　私費をもって自発的に学術研究に従事する場合（その期間はおおむね1年又は6か月程度）

上記の事例は，法定事由以外のその他の休職事由に該当する場合として，条例で定めることができるものと解されている（行実昭27.2.23）。

なお，国家公務員については，学校等人事院の指定する公共施設において，その職員の職務に関連があると認められる学術に関する事項の調査に従事する場合（派遣法による派遣の場合等を除く。）等が，法定事由以外のその他の休職事由として規定されている（人事院規則11－4）。

また，これらの場合は，任命権者は，当該職員と協議し，修学部分休業（法26の2）又は自己啓発等休業（法26の5）として対応することも考えられる。

60 定年による退職（定年制度）

地公法 28 の 2，28 の 3

1　定年制度の意義

定年制度は，高齢社会への対応に配慮しつつ，職員の新陳代謝を促進し，長期的な展望に立った計画的かつ安定的な人事管理を推進することにより，行政運営の適正化，効率化を図ることにある。

2　定　年

（1）　定年　　それぞれの職に就いている職員につき定められた一定の年齢であって，職員はその年齢に達したことのみを理由として，職員の身分を失うという法的効果を有するものである。したがって，定年制度は，定年に達するまでは職員としての身分を保有できるという意味での身分保障を前提としている。

職員の定年は，①　条例で定めること，②　国の職員につき定められている定年を基準として定めること，とされている（法 28 の 2②，地方独法 53③）。

（2）　条例主義　　定年制度は法律で基本的枠組みを定めるとともに，具体的な定年や定年退職日等を条例で定めることとし（法 28 の 2①～③，地方独法 53③），他の分限制度や勤務条件を定める法形式との均衡を図り，かつ，地方自治を保障するものとなっている。

（3）　基準となる国の職員の定年　　国の事務職員等の一般職員の定年は，60 歳である（国公法 81 の 2②）。

「基準として定める」とは，特別の合理的な理由がない場合は，原則として国の職員の定年と同じにすることを意味する。しかし，国の職員の定年と同じにすることが，かえって職員の新陳代謝を阻害する等の特別の合理的理由が存在する場合は，国の職員の定年と異なる定年を定めても，それは基準の範囲内といえる。

（4）　特例定年　　病院等に勤務する医師のように，その職務と責任に特殊性があること又は欠員の補充が困難であることにより，国の一般職員の定年を基準として定めることが実情に即さないと認められる職員については，条例で別の定年を定めることができる。特例定年と呼ばれるが，この場合，国及び他の地方公共団体の職員との間に権衡を失しないように適当な考慮が払われなければならない（法28の2③）。

（5）勤務延長　定年に達した職員が退職すべきこととなる場合において，その職員の職務の特殊性又は職務の遂行上の特別の事情により，退職すると公務の運営に著しい支障が生ずると認められる十分な理由があるときは，その職員の定年退職日の翌日から起算して1年を超えない範囲で，同一職務に引き続き勤務させることができる（法28の3①，地方独法53③）。必要がある場合，最長3年間，勤務延長できる（法28の3②，地方独法53③）。

（6）再任用　定年退職者等を，従前の勤務実績等に基づく選考により，1年を超えない範囲内で任期を定め，常時勤務する職又は短時間勤務の職に採用することができる。任期は，条例で定めるところにより，1年を超えない範囲内で更新することができる（法28の4，28の5，地方独法53③）。なお，この制度は，令和5年3月31日をもって廃止される。

3　定年退職日

職員は，定年に達したときは，定年に達した日以後における最初の3月31日までの間において，条例で定める日に退職する（法28の2①）。この日が定年退職日である。「定年に達したとき」とは，条例で定める定年に達することとなった誕生日の前日をいう。その計算は，年齢計算ニ関スル法律（明治35年法律第50号）による。

4　適用範囲

定年による退職の規定が適用されない職員には，臨時的に任用される職員，任期を定めて任用される職員及び非常勤の職員がある（法28の2④）。

大学の教員については，定年に達した日から起算して1年を超えない範囲内で評議会の議に基づき学長があらかじめ指定する日に退職する。また，その定年は，条例でなく，評議会の議に基づき学長が定める（教特法8①）。

61 勤務延長・再任用

地公法 28 の 3～28 の 5

1 勤務延長

定年による退職の特例である。定年により退職すべきこととなる職員の職務の特殊性又は職務の遂行上の特別の事情からみて，その退職が公務の運営に著しい支障を生じると認められる十分な理由があるときは，条例で定めるところにより，1年を超えない範囲内で期限を定め，その職員を当該職務に引き続き勤務させることができる（法 28 の 3①，地方独法 53③）。この期限は，1年を超えない範囲内で更に延長することができるが，その期限は，条例で定める定年退職日の翌日から起算して3年を超えることができない（法 28 の 3②，地方独法 53③）。

（1） 意義　定年制度は，画一的に一定年齢に達したことをもって全ての職員を自動的に退職させるものであるが，その職員の退職により公務の運営に著しい支障が生じることを避けるためである。

（2） 要件　その職員の職務の特殊性，すなわち知識，能力，経験等からみて代替性がないような場合。その職員が退職することとなる日前後における職務の遂行上の状況からみて，その職員の退職を許さないような特別の事情がある場合。これらに該当する職員が退職することによって，公務運営上の著しい支障が客観的に認定しうる場合である。

（3） 手続　法に直接の規定はないが，条例で定めることが適当である。例えば，辞令の交付である。また，勤務延長の期限を延長する場合に人事委員会の承認等に係らしめる旨の規定である（国公法 81 の 3 参照）。

（4） 身分取扱い　勤務延長は，属人的に定年そのものが延長されたと同じ効果を持つ。したがって，昇格，昇給，転任，配置換えは一般的には考えられない。退職手当及び共済年金の基礎となる期間に通算される。

2 再任用

再任用される職員は，常時勤務する職員（法 28 の 4）と短時間勤務する職員（法 28 の 5）とに区分される。

（1） 意義　第1に，定年退職者等の能力及び経験を活用することである。第２に，60歳代前半の生活を雇用と年金の連携によって支えることである。

（2）　身分　一般職の非常勤職員である。

（3）　採用　従前の勤務実績等に基づく選考による。

（4）　対象者　定年退職者，勤務延長後の退職者又は定年前退職者で条例で定める要件を満たす者である。

（5）　任期　１年以内。条例で定められた年齢まで勤務が可能である。

3　再任用の条例で定める事項

給与等の次の事項については，各地方公共団体の条例で定めることになっている。

（1）　給与　条例で定める。ただし，短時間勤務職員の給与は，勤務時間に比例する額である。

（2）　手当　勤務に関する手当のみが支給される。すなわち，地域手当や通勤手当，特殊勤務手当，時間外勤務手当，期末手当，勤勉手当が支給されるが，扶養手当や住居手当，寒冷地手当等は支給されない。また，退職手当は支給されない。

（3）　勤務時間，休暇等　定年前職員と同じである。育児休業は部分休業のみである。ただし，短時間勤務職員の勤務時間は，週16時間から32時間までの範囲内で条例で定める。また，その休暇は，常時勤務職員の勤務時間に比例する。

（4）　定数　常時勤務職員は，条例定数内職員である。短時間勤務職員は，条例定数外職員である。

（5）　共済組合への加入　常時勤務職員は，組合員となる。短時間勤務職員は組合員とはしない。

（6）　分限，懲戒，服務等　定年前職員と同じである。

㊷ 定年延長と管理監督職勤務上限年齢制

改正後の地公法 28 の 2 ～ 28 の 7

1　意義

平均寿命の伸長や少子高齢化の進展を踏まえ，豊富な知識，技術，経験等を有する高齢期の職員に，最大限活躍してもらうため，また，組織の活力を維持するため，令和３年６月に，地方公務員法の改正が行われた。この講ではその内容を述べているが，法改正の施行日は，令和５年４月１日なので，十分注意していただきたい。

2　定年の段階的引上げ

定年は，国の職員につき定められている定年を基準として条例で定めるものとする〈法 28 の 2②〈法 28 の 6②〉〉とされており，国の職員の定年は，現行では，原則として 60 歳であり，病院等に勤務する医師等は，特例定年で 65 歳等とされている。この現行 60 歳の定年を，令和５年度から２年に１歳ずつ段階的に引き上げて最終的に 65 歳とするものである。具体的には，令和５年度及び６年度は 61 歳に，７年度及び８年度は 62 歳に，９年度及び 10 年度は 63 歳に，11 年度及び 12 年度は 64 歳に，令和 13 年度からは 65 歳にするものである〈附則㉑〉。また，特例定年に該当する医師等についても，段階的に２年に１歳ずつ引き上げられる〈附則㉒〉。

3　管理監督職勤務上限年齢制（役職定年制）

この制度は，管理監督職にある職員がその管理監督職勤務上限年齢に達した場合，当該管理監督職勤務上限年齢に達した日の翌日から同日以後における最初の４月１日までの間（異動期間）に，降任又は降給を伴う転任により，管理監督職以外の他の職へ異動させるものである〈法 28 の 2①〉。また，管理監督職勤務上限年齢に達している者を，異動期間の末日の翌日以後，新たに管理監督職に就けることはできない〈法 28 の 3〉。

対象となる管理監督職の範囲及び管理監督職勤務上限年齢は，国等の職員との権衡を配慮した上で，条例で定める〈法 28 の 2①～③〉。すなわち，対象範囲は，管理職手当を支給される職員で，いわゆる管理又は監督の地位にある職員である。また，管理監督職勤務上限年齢は 60 歳を基本とする。

一方，この制度による降任等により公務の運営に著しい支障が生ずる場合，1年単位で異動期間を延長し，もともと就いていた管理監督職の別により最長3年又は定年退職日まで（最長5年），引き続き管理監督職として勤務させる，特例任用をすることができる〈法28条の5〉。

なお，この制度は，任期付職員等，任期を定めて任用される職員には適用されない〈法28の4〉。

4　定年前再任用短時間勤務制

60歳に達した日以後定年前に退職した職員について，本人の意向を踏まえ，短時間勤務の職に採用することができる。任期は，常勤職員の定年退職日に当たる日までである〈法22の4，22の5〉。身分，勤務時間，給与等については，現行の再任用制度（短時間勤務）と同様である。

なお，現行の60歳定年退職者の再任用制度は廃止されるが，定年の段階的引上げ期間中は，定年から65歳までの間の経過措置として，現行と同様の暫定再任用の制度が存置される〈改正附則4～7〉。

5　情報提供・意思確認制度

任命権者は，職員が60歳に達する年度の前年度に，60歳以後の任用，給与，退職手当に関する情報を提供するとともに，職員の60歳以後の勤務の意思を確認するよう努めるものとする。具体的な手続については，条例等で定める〈附則㉓，㉕〉。

ただし，臨時的任用職員等，法律により任期を定めて任用される職員や非常勤職員，現行の65歳特例定年の職員等は対象としない〈附則㉔〉。

6　60歳に達した職員の給与等

権衡の原則（法24）に基づき，国家公務員における取扱いを考慮し，条例において必要な措置を講ずることになる。

給料月額は，当分の間，職員が60歳に達した日以後の最初の4月1日（特定日）以後，7割水準（給料表の級号給の額×70％）とする。ただし，管理監督職勤務上限年齢による降任等をした職員は，管理監督職勤務上限年齢調整額の支給により，異動前の給料月額の7割水準となる。

また，退職手当の基本額の算定について，当分の間，60歳に達した日以後，その者の非違によることなく退職した職員については，定年前の退職であっても定年退職の場合と同様に算定する。

63 懲　　戒

地公法 27，29

1　懲戒制度の意義

懲戒は，職員の一定の義務違反に対する道義的責任を問うことにより，地方公共団体における規律の保持と公務遂行の秩序維持とを目的として，懲戒権者である任命権者が行う処分である。規律を保持し，秩序を維持するための制裁なので，退職等により職員としての身分を失った場合は，原則として懲戒処分を行うことはできない。

同一地方公共団体内で任命権者を異にする異動があった場合，前の任命権者の下における義務違反について，後の任命権者が懲戒処分を行うことは可能である。同一地方公共団体の異なる任命権者に属する職を兼ねている職員については，それぞれの任命権者が独自に処分することができ，一方の懲戒処分が他方を拘束することにはならない（行実昭 31.3.20）。

また，職員が国や地方公社へ退職出向した後に地方公共団体の在職当時の違法，違反行為が発覚した場合，当該地方公共団体へ再度採用された後に懲戒処分することができる（法 29②）。更に，定年退職者等が再任用された後も現役時代の違法，違反行為に対し懲戒処分を行うことができる（法 29③）。

懲戒処分の取消し又は撤回は，任命権者が行うことは許されず，正当な権限を有する機関，すなわち人事委員会若しくは公平委員会の判定又は裁判所の判決によってのみ取り消すことができる。

2　懲戒処分の基準

懲戒処分の基準は，分限処分の基準と同じく公正の原則（法 27①）及び処分事由法定の原則（法 27②，③）が適用される。

3　懲戒処分の種類

懲戒処分の種類は，軽いものから重いものへの順に，戒告，減給，停職及び免職であり，それぞれの内容は次のとおりである。

（1）　戒告　　戒告とは，職員の服務義務違反の責任を確認し，その将来を戒める処分である。

（2） 減給　減給とは，職員に対する制裁として一定期間，職員の給与の一定割合を減額して支給する処分である。分限処分における降給と異なり，その期間が満了すれば当然に元の給料額に復することになる。

（3） 停職　停職とは，職員の有する職務執行の権利を一定期間停止させ，職務に従事させない処分である。分限処分の休職が，公務能率を維持するための処分で制裁の意味はないのに対し，停職は職員の道義的責任を追及するための制裁であり，その目的を異にする。

（4） 免職　職員の服務義務違反の責任を問うための制裁として，職員としての身分を失わせる処分である。この点，地方公営企業等の労働関係に関する法律12条の解雇も服務規定違反に対する制裁として，懲戒免職と同趣旨の処分であると解される。また，懲戒免職は，職員に対する制裁という点で分限免職とその目的を異にする。

職員が懲戒の事由に該当する場合に懲戒処分を行うか否か，また，処分を行う場合に戒告，減給，停職又は免職のいずれの処分を行うかは，任命権者の裁量の範囲内であり，個々の具体的な事情に応じて決定すべきものである（最判昭32.5.10）。この場合，数個の義務違反の事実に対して，一つの懲戒処分を行うことは差し支えない。しかし，一つの義務違反に対して，２種類以上の処分の併科はできない（行実昭29.4.15）。また，著しく重い処分は，裁量権の濫用である（最判昭57.12.2）とされている。

懲戒処分の種類としては４種類に限定されるので，これ以外の懲戒処分を行うことはできない。しかし，実際には，訓告，始末書の提出，諭旨退職等が行われている。訓告は，将来を戒める事実上の行為であると考えられ，これについては，指揮監督権限を有する上級職員が，当該職員に対し職務の遂行の改善に資するため，制裁的実質を備えていない限り可能と解されている（法制意見昭28.8.3）。なお，訓告は，職員の法律上の地位に影響を及ぼさないから，行政訴訟の対象となる処分ではない（長野地判昭39.3.14）。また，始末書の提出は本人の自戒を文書で表明する事実上の行為であり，諭旨退職は本人の責任を自覚させたうえでの任意退職であると考えられる。

64 懲戒処分の手続等

地公法 29

1 懲戒処分の事由

懲戒処分の事由として，次の三つの場合が定められている（法 29①）。

（1） 法令違反　職員はその職務遂行に当たっては，法律，条例，規則及び規程に従わなければならないとされているからである。

（2） 職務上の義務違反又は職務怠慢　(1)の法令違反にも該当する（法 30，32，35）。

（3） 全体の奉仕者たるにふさわしくない非行　(1)の法令違反にも該当する（法 30）。いかなる行為が該当するかは，社会通念上客観的に判断されなければならないが，次のような判例がある。市の税務課徴収係員による徴収した税金の流用（大津地判昭 31.5.15）。教員の採用につき履歴書の不実記載（水戸地判昭 28.12.28）。勤務時間中に上司の許可なく組合活動を行うための職場離脱（東京地判昭 33.4.4）。昇任試験の受験妨害（東京地判昭 33.4.4）。警察職員が家屋売買の仲介報酬を得た行為（大阪高判昭 28.8.6）。

2 懲戒の手続と効果

職員の懲戒の手続と効果については，法律に特別の定めがある場合を除き条例で定めなければならない（法 29④）。これは，懲戒処分は職員に対する制裁であり，職員の身分取扱いに重大な影響を与えるものだからである。この場合，地方公共団体は，条例で懲戒処分を消滅させる旨の規定を設けることはできず（行実昭 26.8.27），また，条例で懲戒処分の執行猶予を定めることはできない（行実昭 27.11.18）。

懲戒の手続として，処分はその旨を記載した書面を交付して行わなければならない。分限処分の手続が書面によることとされているのと同趣旨である。また，処分事由説明書を交付することを要する（法 49①）が，この説明書は教示（行政不服審査法 82）としての意味なので，処分の効力には影響しない。処分の効力は，辞令書の交付により発生するものであるから，懲戒免職の日付をさかのぼって発令することはできない（行実昭 29.5.6）。所在が不明な職員に対して行う場合，辞令書の内容を官報に掲載することをもって辞令書の交付に代えることができ，掲載後２週間を経過したときに辞令書の交付があったものとみなされる（行実昭30.9.9）。

減給は，一定の期間給料額の一定額を減額するものである。具体的には任命権者が個々の事情に応じて決定するが，おおむね期間は１日以上１年以下，減額率は５分の１以下とされる。２以上の減給処分が期間を重複して行われる場合には，減給額が給料額の５分の１以上になっても差し支えない（行実昭30.6.3）。

停職の期間は１日以上１年以下であるが，具体的には任命権者が事案に応じて定める。現に停職中の職員に対しても，その処分と異なった事由により重複して処分することは，場合によっては可能である。そして，停職者はその職を保有するが職務に従事できない。給与についても職務に従事しないので，停職期間中はいかなる給与も支給されない。退職手当は職員の永年勤続に対する功績報償の性格をも有することにかんがみ，その算定基礎となる勤続期間はその月数の２分の１に相当する月数が除かれる。

免職の場合，退職手当は，全部又は一部が支給されないことがある。また，この処分を受けた者は当該地方公共団体においては，処分の日から２年間再び職員となり，又は競争試験若しくは選考を受けることができない（法16 Ⅱ）。

３　懲戒処分の特例

まず，分限処分と異なり条件付採用期間中及び臨時的任用職員については，職務に従事している以上懲戒に関する規定は全面的に適用される。

学長及び教員の懲戒処分については，評議会の，部局長の懲戒処分については，学長の審査の結果によるのでなければ処分はできない（教特法９）。県費負担教職員については，分限の場合と同じである（地教行法38）。

懲戒免職処分についても労働基準法の解雇予告制度が一応適用されるが，この場合，労働者の責に帰すべき理由があると考えられるので，労働基準監督機関の認定を受けたときは，直ちに免職できる（労基法20①ただし書）。

職員のうち，地方公営企業の職員，特定地方独立行政法人の職員及び単純労務職員については，減給処分にするときは，その１回の額が平均賃金の１日分の半額あるいは１の給与期日に支払われる給与総額の10分の１を超えてはならない（労基法91）とされている。

65 分限と懲戒の関係

地公法 27，28，29

1　分限と懲戒の目的及び性格

分限は，職員の身分保障の意義を有するとともに公務能率を確保するためのものであり，対象職員を非難するものではない。これに対し懲戒は，職員の一定の義務違反に対する道義的責任を追及するものである。このように，両者はその目的及び性格を異にするものであるが，現実にはその接点において両者の関係が問題となることが多い。

2　効果が共通な二つの処分を重ねて行う場合

分限処分と懲戒処分の中で，その効果が共通なものがあり，そのような処分を重ねて行うことができるかが問題となる。

分限免職と懲戒免職とは，いずれも職員の身分を失わせる処分であるので，これら両者を重ねて行う必要はない。しかも，分限免職処分が行われた後になって，在職中に懲戒事由に該当する事実があったことが判明しても，分限免職処分を取り消してさかのぼって懲戒免職処分を行うことはできない。

免職以外の分限処分を受けた職員に対して重ねて懲戒処分を行うこと，あるいはその逆に免職以外の懲戒処分を受けた職員に対して分限処分を重ねて行うことは，理論的には可能であると考えられる。その理由は，分限と懲戒とは，先に述べたとおりその目的が互いに異なっており，既に発生している一方の処分により他方の処分の効果が生じないとしても，それはたまたま前者の効果と後者の効果とが同一なため，後者の効果が顕在化しないにすぎない。だから，前者の処分が取り消されたような場合には，後者の効果が顕在化することも有り得る。

したがって，休職期間中の職員に対して懲戒処分を行うことは差し支えない（行実昭 25.1.27）とされている。また，職員団体の業務に専ら従事し無給休職とされている職員は，職務に従事せず，いかなる給与も支給されないが，この職員に対して停職処分又は減給処分を行った場合には，その懲戒処分としての効果は減殺されないものと解されている（行実昭

34.2.19)。

3　同一の事由に基づく分限処分と懲戒処分

職員がした一つの行為が，分限の事由に該当するとともに，懲戒の事由にも該当するような場合において，いずれの処分を当該職員に対して行うかは，任命権者が諸般の事情を考慮して裁量により選択できるものと解されている（行実昭28.1.14)。これによれば，分限処分と懲戒処分とは選択関係にあって，同一の事実に基づいて両方の処分を行うことはできないのである。ここでの両者の選択の基準となるものは，次のような事情であると考えられる。

(1)　職員の道義的責任を問う必要がある場合には，必ず懲戒処分とすべきであり，そうでない場合には分限処分を行うべきである。

(2)　懲戒処分は職員の義務違反に対する制裁であるので，その事由には当該職員の故意又は過失によることを必要とする。これに対し，分限処分は公務能率の維持の観点から行われるのものであるので，特段本人の故意又は過失によるものであることを必要としない。

(3)　分限処分の事由は，一定の期間にわたって継続している状態をとらえていると考えられるのに対し，懲戒処分の事由は，個々の行為又は状態をとらえているものと考えられる。

しかし，両方の処分を行うことはできるし，実際にも行われている。例えば，授業拒否をしている教員に対しては，職務命令違反として懲戒処分の対象となりうるとともに，このような行為から当該職に必要な適格性を欠くと判断されて，分限処分の対象となることも十分に有り得る。

66 服務の根本基準及び宣誓

地公法 30，31

1 服務の本質

服務とは，職務に服する職員が守るべき義務ないし，規律をいう。

一般職員，教育公務員，警察職員というように，その職務と責任は異なっていても職員である以上，すべての職員は，全体の奉仕者として公共の利益のために勤務し，かつ，職務の遂行に当たっては全力を挙げてこれに専念しなければならないものとされている（法 30）。これは，日本国憲法 15 条 2 項の「すべて公務員は，全体の奉仕者であつて，一部の奉仕者ではない。」と規定してあるのを受けたものである。職員が全体の奉仕者であるという意味は，① 民主主義国家の主権者である国民又は住民全体に奉仕するのが公務員の使命であり，それはまた，国又は地方公共団体の行政を通じて公共の福祉の増進を図るということである。だからこそ，身分保障がされるとともに，公務員としての義務と責任とがある。② 一部の者や団体の奉仕者ではないことである。公益である最大多数の最大幸福の実現のためにも不可欠である。③ 法令上の義務のみならず，倫理上の義務でもあることである。公務員の使命は，法により強制されるものではなく，深い自覚に基づくものでなければならない。この全体の奉仕者という基準は，職員が現に職務を執行している場合だけでなく，勤務時間外，休暇，停職の場合のように現実に職務を執行していない場合にも妥当し，更には守秘義務（法 34）のように，一定の場合には退職後においても適用される。そして，地方公務員法 31 条から 38 条までの規定は，すべて地方公務員法 30 条の服務の根本基準をふえんしたものである。

2 服務の根拠

職員は，地方公務員法 30 条から 38 条までの規定があるから服務があるのではなく，全体の奉仕者であることを自覚して地方公務員になった職員自身の意思に服務の根拠があるといえよう。したがって，地方公務員法が職員の服務について規定しているのは，職員が本来的に負わねばならない義務の内容を明確にしたものである。

3　服務と国民の基本的人権の制限

職員は全体の奉仕者であるからといって，無定量な勤務に服するものではない。職員も国民の一人であり，日本国憲法が保障する基本的人権については，享受できる。しかし，全体の奉仕者であることを理由として，政治的行為には制限が加えられ（法36），また，争議行為等は禁止されている（法37）。

4　職務上の義務と身分上の義務

職員の服務について，条理上，職員が職務を遂行するに当たって守るべき義務を職務上の義務と呼び，職務の遂行に関係なく，職員の身分を有する限り勤務時間外，休暇，停職等の場合でも当然に守るべき義務を身分上の義務と呼んでいる。ただし，両者に本質的な差異があるわけではない。

服務に関する規定のうち，職務上の義務としては，誠実の義務（法30），法令等及び上司の職務上の命令に従う義務（法32）及び職務専念の義務（法35）がある。一方，身分上の義務としては，信用失墜行為の禁止（法33），守秘義務（法34），政治的行為の制限（法36），争議行為等の禁止（法37）及び営利企業への従事等の制限（法38）がある。

5　服務の宣誓

職員は，条例（特定地方独立行政法人にあっては規程）の定めるところにより，服務の宣誓をしなければならない（法31，地方独法53③）。

宣誓はもともと宗教的儀式として行われたものであるが，地方公務員法に規定する服務の宣誓は，誠実かつ公正に職務を執行することを地方公共団体の住民に対して宣言する行為である。

職員の服務義務は，公務員として採用されることにより生じるものであり，宣誓によって特別の効果を生じさせるものではない。しかし，服務の宣誓そのものを職員の義務として強制することは差し支えなく，職員の倫理的自覚を促すことに意味がある。

宣誓の内容及び手続は，条例で定めることとされている。内容が日本国憲法を尊重し擁護することを誓うこととされているので，宣誓制度は日本国憲法99条を受けているといえる。

67 法令等及び上司の職務上の命令に従う義務

地公法 32

1 従順の義務

職員が職務を遂行するに当たっては，法令等及び上司の職務上の命令に従わなければならない（法 32）。この服務は従順の義務と呼ばれる。法令等に従う義務と上司の職務上の命令に従う義務とは，本質的に一体である。すなわち，職務命令は，法令等の内容を具体的に実施するために発せられるものであるので，法令等に従う義務の必然的な結果が職務命令に従う義務であるといえる。

2 法令等に従う義務

職員は，その職務を遂行するに当たって，法令，条例，地方公共団体の規則及び地方公共団体の機関の定める規程（特定地方独立行政法人の職員にあっては，設立団体の条例及び特定地方独立行政法人の規程）に従わなければならない。すべての法令や条例等は，直接又は間接に憲法にその根拠を持つから，職員の法令等に従う義務は憲法上の義務でもある。また，国民主権主義に基づく代議制の下においては，住民の代表機関である国会又は議会において制定された法律又は条例によって，公共の利益が具体的に決定される。したがって，全体の奉仕者たる職員が，職務を遂行するに当たっては，公共の利益の具体的表現である法令や条例等には，当然のこととして従わなければならない。

3 職務命令に従う義務

職員は，その職務を遂行するに当たっては，上司の職務上の命令に忠実に従わなければならない。これは，行政組織及び行政機能の統一性を確保し，秩序ある行政の執行を確保するためには当然のことである。

4 職務上の上司と身分上の上司

行政組織は，ピラミッド型の職務機能の階層構造を形成している。上司とは，この職務機能の上級・下級の関係に基づき，職員を指揮監督する機能権限を有する上級の職に在る者をいう。

上司は，職務上の上司と身分上の上司とに分けることができる。職務上の上司とは，職務の遂行について指揮監督する権限を有する者をいい，身分上の上司とは，職員の任免や懲戒等その身分取扱いについて権限を有する者をいう。職員は，職務の遂行に当たっては，職務上の上司の職務遂行に直接関係する命令に服従する義務を負うとともに，身分上の上司から発せられる職務上のものでない監督・命令に従う義務を負うものである。

5　職務命令の要件

上司の職務上の命令は，一般に職務命令と呼ばれている。職務命令が有効に成立するためには，それが一定の要件を充たしていなければならない。①　職務命令の主体として，職務上の上司から発せられたものでなければならない。②　職務命令の内容の点からは，その命令を受ける職員の職務に関するものでなければならない。③　その内容が，法律上又は事実上，不能を命じるものであってはならない。ただし，職務命令の手続及び形式については制限がないので，適宜，文書又は口頭によることができる。

6　違法な職務命令の効果

上司の発した職務命令のすべてが拘束力を有するものとは限らない。上司の権限外の事項について発せられた命令は無効である。また，２以上の上司が階層的に上下の関係があり，それらの上司が発した職務命令に矛盾があるときは，下級の上司の職務命令は，上級の上司の職務命令に抵触する限りにおいて無効である。このように上司の職務命令が当然に無効であるとき，すなわち，職務命令に重大かつ明白な瑕疵があるときは，これに従う義務はない。むしろ，当然無効の職務命令に従った職員は，その行為及びその結果について責任を負うことになる。

これに対し，職務命令に取り消しうべき瑕疵があるとき，あるいは有効な命令かどうか疑問なときは，その職務命令は一応有効であるとの推定を受けるので，その取消しが権限ある機関によって行われるまでは，その命令に従わなければならない。この場合において，部下の職員は職務命令の効力に疑義がある旨の意見を上司に具申することができるのはいうまでもない。

68 信用失墜行為の禁止

地公法 33

1 意 義

職員は，住民から公務を執行する信託を受け，全体の奉仕者として公共の利益のため勤務すべき義務を負っている。しかも，地方公共団体の行政は，具体的には個々の職員の行為を通じて実施されるものであるので，特定の職員の特定の行為が，当該地方公共団体の行為として住民に理解されることが多い。したがって，職務の執行に当たる職員の行為が，職員の職の信用を傷つけ，又は職員の職全体の不名誉となるような場合には，地方公共団体は住民の信託，信頼を裏切ることになる。また，職務の遂行とは直接に関係のない職員個人の行為であっても，それが非行に該当するような場合には，直接に地方公共団体の行政に影響を与えるものではないが，間接に公務に対する住民の信頼を失わせることになる。職員の非行が公務の信用を損なうのは，職員の行為が職員の身分を通じて公務に影響するからであり，その非行が職務に関して行われたかどうかは問題でない。

以上のような趣旨により，地方公務員法 33 条は，職員はその職の信用を傷つけ，又は職員の職全体の不名誉となる行為をしてはならないと規定している。職員が住民の信託を受けて公務の執行を行い，また，全体の奉仕者として公務に従事するという特殊な地位にあるので，信用失墜行為の禁止，すなわち信用を保つ義務は，当然に守るべき義務である。この条文は，特に職員について，その倫理上の行為規範を成文化し，法律上の規範にまで高めたものである。

2 信用失墜行為

職員に対して禁止されている信用失墜行為については，その職の信用を傷つけ，又は職員の職全体の不名誉となるような行為と規定されている以外には，何ら具体的な定めはない。したがって，どのような行為が該当するかは，社会通念に基づき，個々の事例に即して具体的に判断するほかない。

非行の最たるものは汚職であり，公務を直接に汚すものである。汚職を防止する基本は，職員の自覚である。職員は，全体の奉仕者としての使命感を持ち，自らを厳しく律し，誘惑にのらないよう十分な注意が必要である。一方，上司も部下が汚職を行うことのないように十分な防止の手段を講じるべきである。それには，研修による公務員倫理の高揚を図り，許認可事務や工事・物品の発注事務等の担当職員の人事管理に意を用い，監督とチェック体制の確立，内部監察の実施等が必要である。

この信用失墜行為の禁止に違反したときは，地方公務員法29条1項3号に規定する懲戒処分の事由としての，全体の奉仕者たるにふさわしくない非行のあった場合に該当すると考えられており，懲戒処分の対象になると考えられる。

職員が，職務に関する罪，すなわち，公務員の職権濫用（刑法193，194），収賄（刑法197）等の罪に該当する事実があったときとともに，職務の執行とは関係のない罪，例えば勤務時間外の傷害（刑法204），酒気帯び運転（道路交通法65），その他の破廉恥罪といわれる犯罪を犯したときは，信用失墜行為に該当すると考えられる。

また，刑罰に値するような場合に限らず，地方公務員法37条に規定する争議行為等の禁止のような服務義務に違反する場合においても，同時に信用失墜行為に該当する場合が多い。更に，他の服務義務に関する規定に具体的に違反しなくとも，例えば来庁者に対して著しく粗暴な態度をとったときのように，常識に反する言動や行為そのものが信用失墜行為となることもある。

このように，信用失墜行為の類型はさまざまであり，一般的基準を定めることは難しく，前述のように社会通念によって決定すべきものである。これは，決して任命権者の恣意的な判断を許すものではなく，その判断は客観的に納得できるものでなくてはならない。

69 守秘義務

地公法 34

1 公務員と秘密

職員は，在職中はもちろん，退職後においても職務上知り得た秘密を守らなければならない義務を負うものとされている（法34）。これは，住民の信託を受けて公務の遂行に当たる職員が，個々の住民の不利益となるような個人的秘密を発表したり，住民全体の不利益となるような公的秘密を発表したりすることは，住民の信頼を裏切ることになるからであり，全体の奉仕者として公共の利益のために勤務すべき職員の根本的服務義務から生じるものといえよう。

秘密が，具体的にはどのような事実であるかについては，特段の規定はない。秘密とは，一般に了知されていない事実であって，それを一般に了知せしめることが一定の利益の侵害になると客観的に考えられるもの（行実昭30.2.18）をいうと解される。例えば，市区町村が作成し保管する犯罪人名簿の記載が秘密に属することは，その性質上当然であり，また，職員の履歴書等の人事記録は，一般には秘密に属する事項と考えられる（行実昭37.8.10）。したがって，ある事実が秘密であるか否かの判断は，個人的秘密については，社会通念上，そのことが一般に知られることが本人の不利益になると客観的に考えられるかどうかによって判断すべきである。公的な秘密については，原則として法令又は上司の命令によって定められる。また，原則として，秘密であることを明示してある文書は一般に公的秘密であると考えられる。なぜなら，最終的には客観的に判断されるべきものであるが，第一次的にはその文書を管理する官公庁の判断によるべきものと解されるからである。

2 職務上知り得た秘密と職務上の秘密

職員及び職員であった者が漏らしてならないのは「職務上知り得た秘密」である（法34①）。これに対し，その発表について任命権者の許可が必要であるとされる秘密が「職務上の秘密」である（法34②）。「職務上知り得た秘密」とは，職務の執行に関連して知り得た秘密であって，自ら担当する職務に関する秘密のほか，担当外の事項であっても職務に関連して知り得たものがこれに該当する。これに対し，「職務上の秘密」とは，職員の職務上の所管に属する秘密に限定されると解されている（行実昭30.2.18）。したがって，職務上知り得た秘密は，職務上の秘密よりも範囲が広い。

3　秘密事項の発表

秘密に属する事項であっても，他の法益からの要請により，公表しなければならない場合がある。すなわち，法令による証人，鑑定人等となり職務上の秘密に属する事項を発表する場合，現に職員である者は任命権者の，離職した者は離職した職又はこれに相当する職の任命権者の許可が必要である（法34②）。この場合，任命権者は，法律に特別の定めがある場合を除いて，秘密の発表について許可を与えなければならない（法34③）。法令による証人又は鑑定人等となる場合としては，民事事件に関し裁判所で証人として尋問される場合（民事訴訟法190），鑑定人として鑑定する場合（民事訴訟法212①），鑑定証人として鑑定する場合（民事訴訟法217）があり，刑事事件に関しても同様である（刑事訴訟法143，165）。このほか，普通地方公共団体の議会が事務に関する調査を行い，関係人の出頭，証言，記録の提出を請求する場合（自治法100①）や，人事委員会又は公平委員会が証人喚問等を求めた場合（法8⑥）等がある。ただし，何人も，人事院から秘密事項の陳述又は証言を求められたときには，許可は不要とされている（国公法100④）。

4　秘密を漏らした場合の罰則

秘密を守る義務の重要性にかんがみ，職員が秘密を漏らしたときは，懲戒処分の対象となる。また，職員又は離職した者が秘密を漏らしたときは，守秘義務の確保を保障するため，罰則が設けられている（法60 Ⅱ）。

70 職務専念義務

地公法 35

1 職務に専念する義務

職員は，全体の奉仕者として公共の利益のために勤務すべき義務を前提として，各自に割り当てられた職務の遂行に当たっては，全力を挙げて職務に専念しなければならない（法 30）。したがって，職員は，その勤務時間及び職務上の注意力のすべてをその職責遂行のために用い，当該地方公共団体（特定地方独立行政法人の職員にあっては，勤務する特定地方独立行政法人）がなすべき責を有する職務にのみ従事しなければならない（法 35，地方独法 53③）。職員が職務に専念しなければならないのは，無定量の勤務を義務付けられた旧憲法時代と異なり，正規の勤務時間に限られているが，時間外勤務を命じられた場合は，その時間を含む。また，職務専念義務の規定は，服務の根本基準をふえんするとともに，職務専念の義務が免除される場合があることを明らかにしている（法 35，地方独法 53③）。

2 職務専念義務の免除

職務専念の義務の免除は，公務優先の原則を前提として，職務専念義務を免除することが公務の民主的かつ能率的な運営に支障がないと認められる場合に限定されている。法律又は条例に特別の定めがある場合としては，次のような場合がある。

（1） 法律に定めがある場合

① 分限処分による休職（法 27②，28②）

　ア 心身の故障のため長期の休養を要する場合（法 28②Ⅰ）

　イ 刑事事件に関し起訴された場合（法 28②Ⅱ）

② 懲戒処分による停職（法 29①）

③ 職員団体の在籍専従職員として許可された場合（法 55 の 2①ただし書）

④ 適法な交渉を行う時間（法 55⑧）

⑤ 休日，休暇等

　ア 年次有給休暇（労基法 39）

　イ 産前産後の就業禁止（労基法 65①，②）

ウ　育児時間（労基法67）

エ　生理休暇（労基法68）

⑥　その他

ア　病者の就業禁止（労働安全衛生法68）

イ　部分休業又は休業（法26の2～26の6，育休法4①，教特法26，27）

（2）条例に基づく場合

①　職員の勤務時間，休暇等に関する条例に基づく週休日，休日，休暇及び休憩時間

②　職務専念義務の免除に関する条例に基づく場合

ア　研修を受ける場合（法39）

イ　厚生に関する計画の実施に参加する場合（法42）

なお，同条例の準則においては，前記ア及びイのほか，人事委員会が定める場合が示されている。人事委員会が定める場合には，災害以外の事由による交通機関の事故等の不可抗力により勤務できない場合と任命権者が個別に定める場合とがあるとされる（行実昭26.7.13）。後者の場合としては，勤務条件に関する措置要求，不利益処分の不服申立て（現行審査請求）及びこれらの審理への出頭（行実昭27.2.2）や国家的行事が行われる場合（例えば，昭和43年の明治百年記念式典，昭和47年の沖縄復帰記念式典）がある。

3　職務専念義務の免除と給与

職務専念義務が免除された職員に対し，その勤務しなかった時間について給与を支給するか否かは，法律等で明確な定めがある場合を除いて，給与条例の定めるところによる（法24⑤）。また，部分休業又は育児休業中の職員に対しては，給与の全部又は一部が支給されない（法26の2③，26の3②，育休法4②，19②，教特法27②）。

なお，職員団体の在籍専従の許可を受けた職員は，いかなる場合にも給与の支給を受けることができず（法55の2⑤），また，勤務時間中に職務専念義務の免除を受け職員団体の活動に従事した者は，条例で定める場合以外は給与の支給を受けることができない（法55の2⑥）。

71 政治的中立性

地公法 36

1 公務員の政治的中立性の目的

職員の政治的行為の制限（法 36）の目的は，職員に対して一定の政治的行為を制限することにより，職員は政治的に中立であると位置づけ，もって地方公共団体の公正な運営を確保するとともに，職員の利益を保護しようとすることにある。

その理由の第１として，職員は全体の奉仕者であって一部の奉仕者ではないこと（憲法 15 ②，法 30）に基づくものである。

近代的な国家又は地方公共団体においては政策を決定する政治と，政治によって決定された政策を技術的・事務的に実施に移す行政とは，機能的に明確に分化している。しかも，民主的代議制の下においては，政権を担当する者の交替は当然に予想されるところであり，その点で，行政の安定性と継続性を確保しなくてはならない要請が強くなってきている。

理由の第２として，その結果，行政を担当する公務員は全体の奉仕者として，その地位によって政治に影響を及ぼすことを禁止するとともに，政治勢力も公務員の地位に影響を及ぼしたり，職務の遂行に干渉することを禁止する，すなわちスポイルズ・システムの弊害を防止することが必要とされるからである。

2 制限の範囲

公務員も国民の一員として，日本国憲法が保障する政治的自由が認められなければならない。すなわち，すべて国民は，集会，結社，言論等の表現の自由を有し（憲法 21 ①），また，国民は法の下において平等で政治的関係では差別されない（憲法 14 ①，法 13）。そこで，公務員としての政治的中立性の確保と，国民としての政治的自由の保障という相反する点をどのように調整するかによって，公務員の政治的行為の制限の具体的な内容が決定されることになる。一般的には，全体の奉仕者として公共の利益のために勤務すべき公務員のそれぞれの職務の内容や特殊性により，その職務の公正な執行を保障するために必要な限度においてのみ，政治的行為の制限が許されると解すべきであろう。

3　判　例

公務員の政治的行為の制限について，裁判所がどう判断したか判例をみてみよう。

日本国憲法21条が保障する表現の自由と公務員の政治活動との関係について，昭和49年11月6日いわゆる猿払事件の判決があり，その中で最高裁は次のように判示した。

公務は，もっぱら国民全体に対する奉仕を旨とし，政治的偏向を排して運営されねばならないことから，行政の中立的運営が確保され，公務員の政治的中立性が維持されることは，国民全体の重要な利益である。したがって，公務員の政治的中立性を損なうおそれのある公務員の政治的行為を禁止することは，それが合理的で必要やむを得ない限度にとどまるものである限り合憲である。公務員に対する政治的行為の禁止が右の合理的で必要やむを得ない限度にとどまるものか否かを判断するに当たっては，禁止の目的，この目的と禁止される政治的行為を禁止することにより得られる利益と禁止することにより失われる利益との均衡の３点から検討することが必要である。

公務員の政治的行為のすべてを放任すれば，公務員の政治的中立性が損なわれ，職務の遂行ひいては，その属する行政機関の公務の党派的偏向を招き，行政の中立的運営に対する国民の信頼が損なわれ，政治的党派の行政への不当な介入を容易に許し，行政の能率的で安定した運営が阻害されることにもなる。したがって，禁止することは正当であり，禁止目的と禁止される政治的行為との間には合理的関連性がある。また，公務員の政治的中立性を損なうおそれのある政治的行為を禁止しても，それは単に行動の禁止に伴う限度での間接的，付随的な制約にすぎず，禁止により得られる利益は，公務員の政治的中立性を維持し，行政の中立的運営とこれに対する国民の信頼を確保するという国民全体の共同利益であるから，利益の均衡を失していない。よって，国家公務員法の政治的行為の制限に関する規定（国公法102）は憲法に違反しない。

72 禁止される政治的行為

地公法 36

1　禁止される政治的行為

職員に禁止される行為は，政党その他の政治的団体の結成等に関連する行為（法 36 ①）と，一定の政治目的の下に行われる一定の政治的行為（法 36 ②，地方独法 53 ③）である。

2　政党の結成等に関する行為

禁止される政党の結成等に関する行為とは，政党その他の政治的団体の結成に関与し，若しくはこれらの団体の役員となること，又はこれらの団体の構成員となるように，若しくはならないように勧誘運動をすることである。これらの行為は，職員が勤務する地方公共団体の区域にかかわりなく，また，特定の政治的目的の有無にかかわりなくその行為自体が禁止されるものである。

3　政党その他の政治的団体の結成に関与すること

政党その他の政治的団体とは，政治資金規正法３条にいう政党，政治団体と同一範囲のものであるとされている。この規定によれば，政治団体とは，政治上の主義若しくは政策を推進し，支持し，若しくはこれに反対し，又は特定の公職の候補者を推薦し，支持し，若しくはこれに反対することを本来の目的とする団体である。政党とは，政治団体のうち，衆議院議員又は参議院議員を５人以上有するもの等をいう。

結成とは，新しく団体を組織しようとする場合のみならず，既存の団体に政党その他の政治的団体としての目的を持たせる場合にも該当する。次に，団体の結成に関与するとは，例えば，団体結成のための発起人ないし企画者となり，その団体の規約や綱領を立案し，結成準備のための会合を招集することをはじめ，規約の起草について助言すること，結成のために労力，金品等を提供し，宣伝等を行ってその目的を達成させようとすること等の一切の援助行為を含むものである。なお，これらの団体の結成に関与すること自体が禁止されているので，現実に結成されなくても結成に関与したことになる。

4　政党その他の団体の役員となること

役員とは，団体において，その業務の執行，業務の監査等につき責任を有する地位に在る者をいう。その範囲は，その団体の定款，規約等組織を定めたものにより，個々の実情に応じて具体的に決定すべきものである。

職員は政党その他の政治的団体の役員となることが禁止されているのであって，役員以外の構成員になることは差し支えない。この例として，選挙の特定候補者を推薦する団体を，職員以外の者が結成した場合において，単にその団体の構成員になることは差し支えなく，その団体の会合に出席してその団体の選挙運動等に対して発言し自分の意見を主張することは，団体の構成員となるように若しくはならないように勧誘すること，又は地方公務員法36条2項に規定する政治的行為に該当しない限り差し支えないものと解されている（行実昭26.3.30）。しかし，団体の定款等を定めた規約に役員として規定されていなくても，事実上，役員と同様な役割を持つ構成員は，ここにいう役員に含まれる（行実昭27.1.26）。

5　政党等への勧誘運動

勧誘運動とは，不特定又は多数の者を対象として，組織的，計画的に構成員となる決意又はならない決意をさせるように促す行為をいう。勧誘運動自体が禁止されているので，その相手方が職員であるか否か，また，相手方が実際に団体に加入するか否かは問うところではない。しかし，勧誘運動が禁止されているのであって，単なる勧誘は禁止されていないので，例えば，限定された少数の友人に入党を勧めるようなことは，勧誘運動には該当しないものとされている。

73 政治的目的と行為との関係

地公法 36

1　政治的行為の禁止

職員は，一定の政治的目的を持って一定の政治的行為を行うことが禁止されている（法 36②，地方独法 53③）。この禁止される行為は，目的に行為が伴う場合に限られている。また，これらの政治的行為は，職員が勤務する地方公共団体の区域外においては，文書・図画の地方公共団体の庁舎等の掲示等を除き，禁止されていない。

2　政治的目的

（1）　特定の政党その他の政治的団体又は特定の内閣若しくは地方公共団体の執行機関を支持し，又はこれに反対する目的の場合

特定とは固有名称が明示されている場合に限らず，誰もが容易にその対象を判断できる場合を含む。地方公共団体の執行機関とは，地方自治法７章に規定する執行機関をいい，首長，教育委員会，選挙管理委員会，農業委員会等を指す。内閣とこれらの執行機関には，過去のものは含まれず，現在及び将来のものを意味する。また，内閣を支持し，又は反対することは，内閣の首班たる内閣総理大臣を支持し，又は反対することも含まれる。なお，職員が特定の法律の制定に反対することは，ここでいう政治的目的に該当しない（行実昭 27.7.29）。

（2）　公の選挙又は投票において特定の人又は事件を支持し，又はこれに反対する目的の場合

公の選挙又は投票とは，法令に基づく選挙又は投票で，広く国民又は一般住民が直接参加するものをいう。しかし，直接請求に関する署名を成立させ又は成立させないこと，あるいは条例の制定や監査請求は，これに該当しない。特定の人とは，法令に基づき候補者としての地位を有するに至った者をいい，立候補しようとする者は含まれない（最判昭 32.10.9）。事件とは，法令の規定に基づき，正式に成立した議会の解散請求などをいう。

3　政治的行為

（1）　公の選挙又は投票において投票をするように，又はしないように

勧誘運動をすること（法36②Ⅰ）。

公の選挙又は投票には，投票の棄権が含まれる。

（2） 署名運動を企画し，又は主宰する等これに積極的に関与すること（法36②Ⅱ）。

署名運動とは，不特定又は多数の者を対象として，組織的，計画的にその共同の意向を表示する手段としてその意向に署名させるよう勧誘する行為をいう。積極的に関与するとは，署名運動の企画，主宰のほか，企画，主宰する者を助け，又は推進的役割を演じることをいい，単なる援助は該当しない。なお，職員が署名を行うこと自体は，積極的に関与することにはならないとされている。

（3） 寄附金その他の金品の募集に関与すること（法36②Ⅲ）。

募集に関与するとは，募集計画を企画し，実施を主宰したり，寄附金等の提供を勧誘し，これを受領し，又は助言する等の行為をいい，寄附金を与えることは該当しない。

（4） 文書又は図画を地方公共団体の庁舎（特定地方独立行政法人の事務所を含む。），施設等に掲示し，又は掲示させ，その他庁舎，施設，資材又は資金を利用し，又は利用させること（法36②Ⅳ）。

文書又は図画には，新聞，ビラ，ポスター等を含む。地方公共団体の庁舎又は施設等とは，地方公共団体が使用し又は管理する建造物及び附属物をいい，例えば公営住宅も含まれるが，固定設備であることを要しない。また，庁舎等はその職員の属する地方公共団体のものに限られない。なお，職員団体の事務所が庁舎内にあり，その事務所を所有し又は管理する者が地方公共団体である場合，その事務所の内部に政治目的を持って文書，図画を掲示することは，政治的行為の制限に反する（行実昭26.4.16）。

（5） 条例で定める政治的行為（法36②Ⅴ）。

この条例を制定する必要性は，実際問題として，ほとんどないといってもよい。なお，条例で制限することができるのは政治的行為に限られ，法律で規定されている事項以外に政治目的の制限を定めることはできない。

74 政治的行為の制限と公職選挙

地公法36

1　政治的行為が制限される地域

地方公務員法36条2項に規定する政治的行為は，文書又は図画を地方公共団体の庁舎（特定地方独立行政法人の事務所を含む。）に掲示する等の行為を除き，職員の属する地方公共団体の区域外（特定地方独立行政法人の職員にあっては，設立団体の区域外）においては禁止されていない。これは，その区域外においては，職員の政治的中立性を損ねるおそれがないと考えられたからと思われる。なお，教育公務員については，全国的に一定の政治的行為が制限されている（教特法18）。

2　政治的行為の要求等の禁止

地方公務員法は，職員に対する第三者の働きかけを禁止し，第三者の働きかけに応じなかったことを理由として不利益な取扱いを受けることはない旨を規定して，職員の政治的中立性を確保している。すなわち，何人も一定の政治的行為を行うよう職員に求め，唆し，又はあおってはならない（法36③）とされ，また，何人もその代償又は報復として，任用，職務，給与その他職員の地位に関してなんらかの利益若しくは不利益を与え，与えようと企て，又は約束することは禁止されている（法36③）。更に，それらの違法な行為に応じなかったことの故をもって，不利益な取扱いを受けることはない（法36④）。したがって，例えば，禁止されている政治的行為を行うよう上司から求められた場合，それに応じなくても懲戒処分の事由にはならない。

3　公職選挙法による政治活動の禁止

（1）　職員の立候補制限　職員は公職の候補者となることが禁止されている（公選法89①）。職員が公職の候補者として届出をし，若しくは推薦届出をされたとき又は名簿による立候補の届出により公職の候補者となったときは，その届出の日に職員を辞したものとみなされ（公選法90），また，公職の候補者として届出又は推薦届出のあった者が職員となったときは，候補者を辞したものとみなされる（公選法91）。ここでいう公職とは，衆議院議員，参議院議員並びに地方公共団体の議会の議員及び長の職をいう（公選法３）。ただし，単純労務職員並びに地方公営企業の職員及び特定地方独立行政法人の職員で課長又はこれに相当する職以上の本庁における職に在る者以外の者は，立候補の制限を受けない（公選法89①Ⅱ，Ⅴ）。したがって，これらの職員は在職のまま立候補することができるし，選挙運動をすることもできるが，職務専念義務により勤務時間中は選挙運動をすることができない。

（２）　選挙運動の制限

①　特定公務員の選挙運動の禁止。選挙管理委員会の職員，警察官及び徴税吏員等は在職中選挙運動をすることが禁止されている。したがって，当該地方公共団体の区域外においても選挙運動をすることができず（公選法136），在職中選挙運動をした場合には，懲戒処分の事由になるとともに，罰則の適用を受けることになる（公選法241）。

②　地位利用による選挙運動の禁止。地方公務員は，一般職たると特別職たるとを問わず，その地位を利用して選挙運動をすることが禁止されている（公選法136の２）。具体的には，地位を利用し公職の候補者の推薦に関与する等の行為，地位を利用し選挙運動の企画に関与する等の行為，地位を利用し後援団体の結成の準備に関与する等の行為，地位を利用し刊行物の発行等をする行為及び公職の候補者を支持し又は反対する旨申し出た者に対し利益を供与する等の行為が該当する。

③　教育者の地位利用の選挙運動の禁止。学校長及び教員は，児童・生徒及び学生に対する教育上の地位利用による選挙運動が禁止され，罰則の適用もある（公選法137，239）。

④　地盤培養行為の禁止。衆議院議員又は参議院議員になろうとする職員については，選挙区において職務上の旅行等の機会を利用して選挙人にあいさつをすること等の事前運動が禁止されており，罰則の適用もある（公選法239の２①）。

（３）　選挙犯罪による当選無効　　職員であった者が，離職後最初に候補者となった衆議院議員又は参議院議員の選挙において，一定の選挙犯罪を犯し刑に処せられたときは，当選は無効となる（公選法251の４）。

75 政治的行為の制限の特例

地公法 36

1　政治的行為の制限の特例

地方公営企業の職員，特定地方独立行政法人の職員，単純労務職員及び教育公務員については，それぞれの職務の性格から，政治的行為の制限の特例が設けられている。

地方公営企業の企業職員（地公企法 15 ①）のうち，課長又はこれに相当する職以上の本庁における職に在る者を除く一般職員は，地方公務員法 36 条の政治的行為の制限の規定は，適用されないこととされている（地公企法 39 ②）。

その職務内容が，いわゆる公権力の行使に当たるというよりも，むしろ民間企業の職務内容と同様であると考えられ，政治的行為の制限をする特段の必要性がないと考えられたからである。

次に，特定地方独立行政法人の職員及び単純労務職員についても同様の理由により，政治的行為の制限の規定は適用されない（地方独法 53 ②，地公労法附則⑤）。

公立学校の教育公務員は，当分の間，地方公務員法 36 条の規定によらず，国家公務員の例によることとされている（教特法 18 ①）。したがって，一般職員に比べ制限が厳しく，制限の地域は全国的である（国公法 102 ①）。この特例の理由は，地方公務員と国家公務員とを問わず，教育を通じて国民全体に奉仕するという職務と責任の特殊性に基づく。

2　政治的行為の制限と職員団体

職員団体は，職員がその勤務条件の維持改善を図ることを目的として組織する団体である。その職員団体が政治的行為を行うことについては，地方公務員法は一般的に禁止していない。職員団体自体の意思及び実現行為と当該構成員である職員自体の意思及びその実現行為とは一応別個のものであり，前者については地方公務員法 36 条 1 項及び 2 項の関知するところではない。したがって，前者については，それが同時に職員自体の行為となるものである場合に限り，一定の制限を受けると解されている（行実昭 26.4.2)。

職員団体の業務に専ら従事するため休職となっているいわゆる専従職員（法 55 の２①）についても，職員の身分を有する以上，政治的行為を行うことは禁止されると解されている（行実昭 26.3.9)。

また，職員団体が，団体として公の選挙に際し特定の候補者を推薦し，あるいは特定の候補者を推薦する旨の掲示を市役所等の庁舎内に行った場合に，これが地方公務員法違反になるとすれば，その違反の責任は誰が負うことになるのであろうか。行政実例によれば，団体自体の意思及び行為と当該団体の構成員である職員自体の意思及び行為とは一応別個のものであり，団体自体の意思及びその実現行為が同時に職員自体の行為となるものである場合に限り，当該職員について違反の責任があるとされている（行実昭 26.4.2)。しかし，職員団体が公の選挙において，選挙告示前に特定の人に対して推薦する旨の意思決定をした行為は違法とはならないと解されている（行実昭 26.5.21)。

また，職員団体の事務所を所有又は管理する者が地方公共団体である場合には，事務所の内部に政治的目的を持って文書，図画を掲示することは地方公務員法 36 条２項の規定に違反するものと解されている（行実昭 26.4.16)。

3　日本国憲法の改正手続に関する法律における検討条項

日本国憲法改正国民投票に際しては，公務員であっても特定の政治的目的を持たない通常の勧誘運動については，自由とするべきであるとされている。しかし，政治的行為の制限の規定を適用しないことにすると，国民投票運動（憲法改正案に対し賛成若しくは反対の投票をし，又はしないよう勧誘する行為をいう。）に関して，特定の候補者等を支持するような政治的行為が併せて行われるおそれがあると指摘されている。そこで，公務員といえども，自由とすべき部分と規制する部分とを切り分けるため，勧誘運動等に対する規制の在り方について検討を加え，必要な法制上の措置を講ずるものとされている（日本国憲法の改正手続に関する法律の一部を改正する法律（平 26 法 75）附則④)。

76 争議行為等の禁止

地公法 37

1　争議行為等の禁止の合憲性

日本国憲法 28 条は，勤労者の団結する権利及び団体交渉その他の団体行動をする権利を保障しており，ここで保障されている権利は，一般的に労働基本権と呼ばれている。ここにいう勤労者には公務員も含まれており，また，団体行動には争議行為が含まれていると解するのが通説である。このように，公務員についても原則として，労働基本権が保障されているが，法令上は公務員の労働基本権について大幅な制限が加えられ，特に争議権は全く否定されている（法 37①）。

労働基本権の制限については，学説は制限可能説，制限不可能説と様々であるが，判例は争議行為等の禁止について合憲としている（最判昭 48.4.25，最判昭 51.5.21）。

2　争議行為等の禁止

職員は全体の奉仕者として公共の福祉のために勤務するという特殊性に基づき，争議行為等を行うことは禁止されている（法 37①，地公労法 11①）。

法が禁止している行為は，大別して，争議行為等を実行する行為と争議行為等を計画し，あるいは助長する行為とがある。また，実行行為は，争議行為と怠業的行為とに分けることができる。

一般職員については，地方公共団体の機関が代表する使用者としての住民に対して同盟罷業，怠業その他の争議行為をし，又は地方公共団体の機関の活動能率を低下させる怠業的行為をしてはならないこととされている。また，何人もこのような違法な行為を企て，又はその遂行を共謀し，唆し，若しくはあおってはならないこととされており（法 37①），違反した場合には罰則の適用もある（法 62 の 2）。

次に，地方公営企業の職員及び特定地方独立行政法人の職員には，地方公務員法 37 条の争議行為等の禁止規定は適用されない（地公企法 39①，地方独法 53①）。しかし，地方公営企業の職員及び特定地方独立行政法人の職員並びにその労働組合は，地方公営企業等（地方公営企業及び特定地方独立行政法人をいう。以下同じ。）に対し，同盟罷業，怠業その他の業務の正常な運営を阻害する一切の行為をすることができない（地公労法11①）。地方公共団体の機関の活動能率を低下させる怠業的行為については，一般職員の場合には禁止されているのに対し，地方公営企業等の職員の場合には禁止されていない。また，一般職員の場合には，職員に対してのみ禁止し，職員団体には禁止する旨を明示していないのに対し，地方公営企業等の職員の場合には，職員及び労働組合に対して禁止する旨を明示している。しかし，怠業的行為が労働組合の統一的行動として行われる場合には，ほとんどの場合，業務の正常な運営を阻害する行為となることが多いので，禁止される争議行為は実質的に同一範囲ということになる。しかも，職員団体の行為は，職員団体を組織しその機関を構成する職員の行為にほかならないのであるから，職員団体としての争議行為が禁止されていないというわけではないことになる。したがって，一般職員であれ地方公営企業等の職員であれ，また，職員としてであっても組合としてであっても，いずれの場合にも争議行為は禁止される。

更に，地方公営企業等の職員並びに労働組合の組合員及び役員は，争議行為を共謀し，唆し，又はあおってはならないこととされている（地公労法11①）。一般職員の場合には，職員を含むすべての人に対し，これらの行為が禁止され，しかも罰則の適用があるのに対し，地方公営企業等の職員の場合には罰則の規定は設けられていない。その理由は，地方公営企業等の運営を規制する各事業法に規定する罰則や刑法の刑罰規定，例えば交通事業に関しては，往来妨害罪（刑法124～129）により，各事業の正常な運営を確保することができると考えられるからである。

また，単純労務職員については，地方公営企業等の労働関係に関する法律の規定が準用され，地方公営企業等の職員の場合と同様に取り扱われる（地公労法附則⑤）。

なお，地方公営企業等又は地方公共団体の機関が，これらの職員の争議行為等に対抗する手段として，作業所閉鎖（ロック・アウト）を行ってはならないことが定められている（地公労法11②）。

77 争議行為等の実行行為

地公法37

1　争議行為等の実行行為

法が禁止している行為は，争議行為等を実行する行為と争議行為等の実行行為を計画し，あるいは助長する行為とに大別することができる。更に，実行行為は，争議行為と怠業的行為とに区分することができる。

争議行為とは，労働関係調整法7条において，同盟罷業，怠業，作業所閉鎖その他労働関係の当事者が，その主張を貫徹することを目的として行う行為及びこれに対抗する行為であって，業務の正常な運営を阻害するものと規定されている。しかし，ここではもっと広く，その行為の態様のいかんを問わず，地方公共団体の正常な業務の運営を阻害する行為と解されている（和歌山地判昭38.10.25）。

怠業的行為とは，地方公共団体の機関の活動能率を低下させる行為をいう（法37①）。この両者の区別は相対的なものであり，怠業的行為は地方公共団体の執務能率を低下させるものであるが，争議行為には至らない程度のものをいうものと考えられる。

争議行為等の実行行為については，特定目的，特に経済的目的でなくても，いわゆる同情スト，抗議ストあるいは政治スト等も争議行為に該当する。

2　争議行為等の実行行為の類型

争議行為は，その手段からみて多くの類型に分類することができる。

（1）　同盟罷業　同盟罷業は最も典型的な争議手段であり，ストライキと呼ばれ，労働者が争議行為として集団的に労務の提供を停止することである。ストライキは，その目的によって，政治スト，同情スト，経済スト等に区別される。態様により区別すれば，座り込みスト，ハンガー・ストライキ，ゼネスト，部分ストあるいは一部分が組織全体の意思に反して行う山猫スト等がある。

（2）　怠業　ストライキが積極的行動による争議行為の典型とすれば，怠業は消極的行動による争議行為の典型である。怠業は，サボタージュとも呼ばれ，業務に従事しながら能率を低下させる等，意識的に業務の遂行を阻害する行為をいう。後で述べるいわゆる遵法闘争も怠業の一種である。

（3）　その他の争議行為　スト破りやスト参加者の脱落を防止するため職場の入口で見張るピケッティング，職務命令を排除して地方公共団体の事務そのものを職員団体や労働組合の管理下に遂行するいわゆる業務管理あるいは勤務中にハチ巻や腕章を着用する行為等，各種の類型がある。

3　職員団体の実力行使と争議行為

職員は全面的に争議行為を禁止されており（法37①），また，地方公営企業の職員及び単純労務職員も争議行為が禁止されている（地公労法11①，附則⑤）。これに対し，職員団体や労働組合が主体として行う遵法闘争や勤務時間内の職場大会等が違法であるかどうかは，学説，判例においても議論が多い。

遵法闘争は，職員又は職員団体等が自己の主張を貫徹するため，法令，規則等を厳密に遵守して管理者の命令に従わないことを指す。まず，安全闘争は，例えば交通事業において，危険防止のため法令等を厳格に遵守するものである。業務運営の慣行から見て一般的には適法と認められているにもかかわらず，問題とするに足らない軽微な法令等の違反を取り上げ，業務の停滞を生じさせるような場合には，争議行為に該当する。

超過勤務について，いわゆる非現業職員は労働基準法36条のいわゆる三六協定を締結する必要はないが，現業職員は，三六協定を締結しなければ合法的に超過勤務を行うことができない。三六協定を締結するか否かは，職員及び職員団体等の自由と解されているので，協定締結の拒否をもって直ちに争議行為に該当するとはいえないが，業務の正常な運営を阻害する手段として行われる場合には，争議行為に該当する。

勤務時間内の職場集会について，職員は職務専念義務を負っているので，使用者の承認を得ずに行われる場合には，争議行為に該当する。

78 争議行為等の具体的類型

地公法37

1 リボン闘争

リボン闘争とは，職員が職員団体の指令に基づき勤務時間中に「人勧完全実施」等の経済的要求又は政治的主張を記載したリボンを一斉に着用する行為をいう。

このようなリボンを着用することが，職務専念義務に違反するかどうかについて，判例は次のように述べている。

リボンを着用することにより，組合活動を実行していることを意識しながら，その職務に従事していたものというべきであり，その精神的活動力のすべてを職務の執行にのみ集中していたものでなかつたことは明らかである。よつて，勤務時間中リボンを着用したことは，職務専念義務に違反する（札幌高判昭48.5.29）。

理事者側は，リボンを外す職務命令を発することができるであろうか。職務命令は，職務の遂行に直接関係があるものについてのみ発することができる。したがって，リボン闘争により職務遂行の場としての職場の雰囲気が乱される場合には，理事者側は当然に良好な執務環境の保持のため，職員に対しリボンの着用を禁止することができるものと解され，職員がこれに従わない場合には，職務命令に違反したことになるものと解される。

2 有給休暇闘争

有給休暇闘争は，職員団体等の指令により，職員の全部又は一部が一斉に年次有給休暇を請求し，職務に就くことを拒否する闘争である。参加する職員の割合に応じて，３割休暇闘争等と呼ばれている。これは，いわゆる遵法闘争の一種として行われるものである。

有給休暇闘争は，形式的には労働基準法39条又は条例に基づく権利の行使という形で行われる。しかし，年次有給休暇制度は，正常な労使関係を前提とするものである。したがって，有給休暇闘争は業務の正常な運営を阻害することになるので，有給休暇の争議行為への利用は認められない。すなわち，有給休暇闘争は，地方公務員法で禁止されている争議行為に該当する。

年次有給休暇の利用目的と争議行為との関連について，国鉄郡山工場事件及び白石営林署事件に係る最高裁判決は次のように述べている。

年次有給休暇の利用目的は労働基準法の関知しないところであり，休暇をどのように利用するかは，使用者の干渉を許さない労働者の自由である，とするのが法の趣旨であると解するのが相当である。

ところで論旨は，休暇の利用目的に関連して，いわゆる一斉休暇闘争の場合を論ずるが，いわゆる一斉休暇闘争とは，これを，労働者がその所属の事業場において，その業務の正常な運営の阻害を目的として，全員一斉に休暇届を提出して職場を放棄・離脱するものと解するときは，その実質は，年次休暇に名を借りた同盟罷業にほかならない。したがって，その形式いかんにかかわらず，本来の年次休暇権の行使ではないのであるから，これに対する使用者の時季変更権の行使もありえず，一斉休暇の名の下に同盟罷業に入った労働者の全部について，賃金請求権が発生しないことになるのである。しかし，以上の見地は，当該労働者の所属する事業場においていわゆる一斉休暇闘争が行われた場合についてのみ妥当しうることであり，他の事業場における争議行為等に休暇中の労働者が参加したか否かは，なんら当該年次休暇の成否に影響するところはない。けだし，年次有給休暇の権利を取得した労働者が，その有する休暇日数の範囲内で休暇の時季指定をしたときは，使用者による適法な時季変更権の行使がない限り，指定された時季に年次休暇が成立するのであり，労働基準法39条3項〔現5項〕ただし書にいう事業の正常な運営を妨げるか否かの判断は，当該労働者の所属する事業場を基準として決すべきものであるからである（最判昭48.3.2）。

また，組合の明確な計画に基づき，あらかじめ割休闘争に参加する組合員を組合が特定し，本庁及び出先機関の全事業場にわたって，1割の組合員に年次有給休暇の請求を指令し，本庁での座り込みと自宅待機とを行った事件では，組織性・計画性，更には業務阻害性が明白であり，上記最高裁判所判決のいう一斉休暇闘争に当たると判断し，座り込み参加者と自宅待機者とを区別せず，組合指令に従った者について，一律に同盟罷業の成立を認めた（東京高判昭53.12.27）。

79 争議行為等に対する責任

地公法 37

1　争議行為等の計画，助長等の行為

地方公務員法は，職員に対して争議行為等を禁止するとともに，何人に対しても争議行為等を企て，その遂行を共謀し，唆し，又はあおる行為を禁止し（法 37 ①後段），また，地方公営企業等の労働関係に関する法律においても，職員並びに組合員及び役員が争議行為等を共謀し，唆し，又はあおる行為を禁止している（地公労法 11 ①後段）。これは，争議行為等の実行行為を計画し，あるいは助長する行為を予防的な見地から，その前段階において禁止しているものである。

ここで，企てるとは，争議行為等を実行する計画の立案，会合の招集等をいい，共謀するとは，２人以上の者が争議行為等を実行するため共通の意思決定を行うことをいう。また，唆すとは，人に対し争議行為等を実行する決意を促す教唆であり，あおるとは，文書若しくは図画又は言動によって職員に対し争議行為等を実行する決意を生じさせる，又は既に生じている決意を助長させる扇動を意味するとされている。これらの争議行為等を計画し，助長する行為は，そのような行為が行われたこと自体が法律違反であり，必ずしも争議行為等が実行されたことを要しないものと解される（最判昭 29.4.27）。

2　争議行為等の禁止に違反した者の責任

職員が争議行為等を実行する行為や争議行為等を計画，助長する行為を行った場合は，争議行為等の禁止規定に違反したことになる（法 37 ①）。そのほか争議行為等の態様によっては，法令等及び上司の職務上の命令に従う義務（法 32），信用失墜行為の禁止（法 33），職務に専念する義務（法 35）等の規定に違反するときもあり，これらの場合には懲戒処分の対象となるものである。

また，争議行為等の禁止の規定に違反した者は，その行為の開始とともに，地方公共団体に対し，法令又は条例，地方公共団体の規則若しくは地方公共団体の機関の定める規程に基づいて保有する任命上又は雇用上の権

利をもって対抗することができなくなるものと定められている（法37②）。これは，当該職員に対する法令上の保護が全て否定され，任命権者が一方的な処分を行うことができることを規定したものではなく，職員の側から対抗すること，すなわち，権利の主張ができないことを意味する。職員が争議行為等を行ったことを理由として懲戒処分を受けた場合，人事委員会又は公平委員会に対して審査請求をすることができる（法49の2）。

地方公営企業の職員，特定地方独立行政法人の職員及び単純労務職員は，争議行為等が禁止されており（地公労法11①，附則⑤），地方公共団体はこの規定に違反した職員を解雇することができる（地公労法12）とされている。有力説は，解雇は懲戒免職処分に相当し，また，その場合解雇とは別に戒告等の懲戒処分を行うことも可能と解し，解雇と懲戒免職とが競合する場合には解雇を行うことが適当と解している。なお，争議行為等を行ったことを理由として解雇された職員は，不当労働行為の申立て（労組法27①）をする場合，労働委員会に対して解雇の日から２か月以内にしなければならず，労働委員会は，申立てのあった日から２か月以内に救済命令等を発するようにしなければならない（地公労法16の3）。

3　罰則等

職員の争議行為等の遂行を共謀し，唆し，若しくはあおり，又はこれらの行為を企てた者には，罰則が科される（法62の2）。争議行為等の実行行為そのものについては刑罰の適用がなく，その計画，助長等についてのみ罰則を科することとされているのは，公共の福祉に反する争議行為等が実行されることを未然に防止しようとしたものと考えられる。しかし，この罰則については，憲法の種々の条文の規定との関係が問題とされ，各種の学説，判例が出ている。

民間企業の労働組合の正当な争議行為については，使用者に損害を与えても民事責任は免責される（労組法８）が，地方公務員の労働団体については，民事上の免責規定は適用除外とされている（法58①，地公労法４）。すなわち，職員団体又は労働組合，あるいはその他の職員の団体が争議行為等を行った結果，地方公共団体又は特定地方独立行政法人に損害を与えたときは，民事上の不法行為（民法709）として，その損害を賠償する責任を負うことになる。

80 争議行為等に関する判例

地公法 37

1　最高裁判所の判決の変遷

公務員の争議行為等の禁止についての最高裁判所の判断は，変遷があった。基本的な判決を追いながら説明する。

2　政令第 201 号の合憲論

公務員の争議行為の一律禁止を定めた政令第 201 号の無効等が争われた「国鉄弘前機関区事件」について，最高裁判所は，昭和 28 年 4 月 8 日の判決で，政令第 201 号は憲法に違反していない旨を明らかにした。公務員は憲法 28 条の勤労者であるが，その労働基本権は，公共の福祉のため，また，公務員の全体の奉仕者性のため，制限されてもやむを得ないとした。抽象的な判断に基づき条件を付けずに公務員の労働基本権の制限を認めたものといえる。

3　限定的合憲論

最高裁判所は，昭和 41 年 10 月 26 日，「全逓中郵事件」について判決を下し，従来の法理を変更した。この判決では，公務員（現業国家公務員）の労働基本権について，①　その制限が合理的最小限度で，②　制限が必要やむをえず，③　制限違反者への不利益が必要最小限で，④　代償措置が存在するという 4 要件がある場合に限り，制限が認められるとした。更に，①　政治的目的，②　暴力を伴う，③　不当に長期にわたる等国民生活に重大な障害をもたらす場合は，争議行為の限界を超えるとした。

昭和 44 年 4 月 2 日，最高裁判所は，「都教組事件」及び「全司法仙台事件」においても同趣旨の判決を下し，公務員の争議行為をあおる行為等に対し刑事罰を科すには，上述の 4 要件に加え，更に，①　争議行為自体が違法性の強いものであり，②　あおり行為等が争議行為に通常随伴して行われる行為でない場合に限られるという，「二重のしぼり論」を示した。

4　全面的合憲論

昭和 48 年 4 月 25 日，最高裁判所は「全農林警職法事件」について判決を下し，再度判例を変更した。すなわち，公務員は憲法 28 条にいう勤労者であるが，公務員の職務には公共性があり，法律によって勤務条件が定められ，身分が保障されており，かつ，適切な代償措置が講じられているので，公務員の争議行為及びあおり，唆し行為を禁止するのは，勤労者を含めた国民共同の利益の見地からやむを得ない制限であって，憲法28条に違反しないとした。また，公務員の労働基本権制限の具体的理由を次のように挙げた。①　公務は，国民又は地方住民全体のためのものであって，寸時も停廃を許されない性質のものである。②　公務員の給与その他の勤務条件は，労使間の自由な交渉により定められるものではなく，国会の制定した法律，予算によって定められることになっている。③　国又は地方公共団体の場合，ロックアウトは認められていない。④　公務員の場合，市場の抑制力が働く余地がない。⑤　労働関係における公務員の地位の特殊性は，国際的にも一般に是認されている。

この判決の趣旨は，その後，非現業の地方公務員についての岩手県教組事件判決（最判昭51.5.21），現業の国家公務員についての全逓名古屋中郵事件判決（最判昭52.5.4）においても踏襲され，公務員の争議行為禁止に対する一連の合憲，違憲の論争は，法律的に全面かつ無条件に合憲ということで終止符が打たれた。

81 営利企業への従事等の制限

地公法38

1 意 義

地方公務員法38条及び地方独立行政法人法53条3項は，職員（パートタイムの会計年度任用職員等を除く。以下この講において同じ。）が営利企業に従事等することの制限を規定している。すなわち，職員は任命権者の許可を受けなければ，営利企業の役員等の地位を兼ねること，若しくは自ら営利企業を営むこと，又は報酬を得ていかなる事業若しくは事務に従事することもできない。

本来，自由であるはずの職員の職務外の行為について，何故制限があるのであろうか。それは，職員は全体の奉仕者として公共の利益のために勤務し，かつ，職務の遂行に当たっては，全力を挙げてこれに専念しなければならない（法30）とする職員の服務の根本基準に求められる。この規定の趣旨を受け，職員の職務の遂行に当たっては職務専念義務の規定（法35）として，職員の職務外の行為については営利企業への従事等の制限の規定（法38）として，それぞれ具体化されている。すなわち，職員は全体の奉仕者として公共の利益のために勤務しなければならないものであり，一部の利益を追求する営利企業に従事等し，また，自ら営むなど関与することは，職員の本質に反するものと考えられる。しかも，職員は定められた勤務時間中は，職務上の注意力のすべてを職務遂行のために用いなければならないので，他の事業や事務に従事することは職務の専念に悪影響を及ぼすおそれがあるからである。したがって，全体の奉仕者としての職員の本質に反することがなく，かつ，職務専念の義務を妨げない場合においては，職員の職務外の行為として営利企業に従事等することを全て禁止する必要はない。そこで，任命権者の許可により，この禁止を解除することができるものとしている。

なお，人事委員会は，職員が営利企業に従事等することについての任命権者の許可基準を定めることができるとされている（法38②）。これは，人事委員会が一般的な基準を定めることにより，営利企業に従事等することの許可に関し任命権者間に不均衡が生じないように調整するものである。また，地方公共団体の委員会又は委員は，営利企業に従事等することの許可の基準について地方公共団体の長と協議しなければならないこととされている（自治法180の4②，自治令132 Ⅶ）。

2　任命権者の許可

任命権者は，職員が営利企業に従事等することを許可することができる。しかし，営利企業への従事等の制限の規定は，職員の職務の適正な遂行の確保を目的としているので，任命権者の許可は，その目的を阻害しない場合においてのみ与えられるものである。すなわち，職員が営利企業に従事等しても職務遂行上，能率の低下を招くおそれを生ぜず，かつ，その営利企業と当該職員の属する地方公共団体との間に特別の利害関係がなく，又はその発生のおそれがない場合でなければならない。また，職員は，職務の遂行について公務員にふさわしい品位と信用を保持することが要求されているので，いかがわしい営利企業への従事等については許可を与えることはできないものと考えられている。

職員が営利企業に従事等することについて任命権者の許可を受けても，職務専念の義務は当然に免除されるものでないから，営利企業に勤務時間外に従事等しない限り，任命権者による職務専念義務の免除の承認が必要であると解されている。勤務時間を割いて営利企業に従事等する場合においては，許可の申請時にその割くべき勤務時間を申請書に明記する必要があると考えられ，割いた時間に相当する給与は減額すべきである。なお，勤務時間を割いて営利企業に従事等しようとする場合には，特段の理由がない限り，許可されないと考えて差し支えない。

82 営利企業への従事等が制限される行為

地公法38

1 制限される行為

職員（パートタイムの会計年度任用職員等を除く。以下この講において同じ。）が従事等することを制限されている営利企業への従事行為とは，大別して次の三つの行為である。

（1） 営利企業を営むことを目的とする会社その他の団体の役員その他人事委員会規則（人事委員会を置かない地方公共団体においては地方公共団体の規則）で定める地位を兼ねること。

営利企業とは，商業，工業又は金融業その他営利を目的とする私企業をいい，株式会社をはじめ，営利行為を業とする社団や財団も含まれる。したがって，農業であっても自給自足の範囲を超えて営利を目的とするものである限り，営利を目的とする私企業に含まれる（行実昭26.5.14）。しかし，農業協同組合，水産業協同組合，森林組合，消費生活協同組合等は，事実上営利とみられる行為を行っているが，それぞれを規制する法律によって営利を目的とするものとされていないので，ここでいうその他の団体には該当しないものと解されている。ただし，これらの団体の役員等となることは差し支えないが，報酬を受ける場合には任命権者の許可を受けなければならない（行実昭26.5.14）。次に，役員とは，会社の取締役，監査役のように業務の執行又は業務の監査について責任を有する地位に在る者及びこれらの者と同等の権限又は支配力を有する地位に在る者をいう。人事委員会規則で定める地位とは，役員，顧問，評議員，清算人等，企業の経営に参加しえる地位をいうが，営利を目的としない団体の地位を定めることはできない（行実昭26.9.12）。

（2） 自ら営利企業を営むこと。

職員の家族が営利企業を営むことは禁止されていないが，家族の名義を利用して実質的に職員が営利企業を営むことは，脱法行為に該当する。

（3） 報酬を得て何らかの事業又は事務に従事すること。

報酬を得るものである限り，営利を目的としていると否とを問わない。

ここで報酬とは，給料，手当その他名称のいかんにかかわらず，労働の対価として支払われる給付をいう。しかし，労働の対価ではない給付，例えば旅費などの費用弁償や，講演料，原稿料などもそれが単なる謝礼であれば報酬には該当しない。また，職員が住職を兼ね，葬儀等の宗教的活動を営む際に得られる布施その他の名目の収入は，社会通念上，一般的には労働の対価たる報酬とは考えられないので，報酬を得て事業に従事するものではないとされている（行実昭26.6.20）。

2　教育公務員の特例

教育公務員は，教育に関する他の職を兼ね，又は教育に関する他の事業若しくは事務に従事することが本務の遂行に支障がないと任命権者が認める場合には，給与を受け，又は受けないで，その職を兼ね，又はその事業若しくは事務に従事することができる（教特法17①）。この場合，地方公務員である教育公務員にあっては，人事委員会の定める許可基準に拘束されない（教特法17③）。このような特例が認められているのは，その職務内容にかんがみ，国公私立を問わず，職員を融通し合うことが望ましいことが少なからずあり，また，授業時間の実態からみて可能であると考えられているからである。

83 退職管理の適正の確保

地公法38の2～38の6

1　再就職者による働き掛けの禁止

再就職者に対し，離職前の職務に関して，現職職員への働き掛けを禁止するものである。また，特定地方独立行政法人の役職員等に対しても，以下に述べる同様の措置が講じられている（地方独法50の2）。

再就職者とは，職員であった者で離職後に営利企業等の地位に就いているものをいう（地方公社等への退職派遣者を除く。）。ただし，職員には，臨時的任用職員，条件付採用期間中の職員及び非常勤職員（定年退職後の短時間勤務職員を除く。）を除く。また，営利企業等とは，営利企業及び営利企業以外の法人（国，地方公共団体及び特定地方独立行政法人等を除く。）をいう（法38の2①）。

離職前の職務とは，地方公共団体・特定地方独立行政法人と営利企業等・その子法人との間で締結される売買等の契約等事務であって，離職前５年間の職務に属するものである（法38の2①）。

働き掛け禁止の対象者は，離職前５年間に在職していた地方公共団体の執行機関等の役職員等（地方公共団体の執行機関の組織等の職員若しくは特定地方独立行政法人等の役職員又はこれらに類する者として人事委員会規則で定めるもの）である（法38の2①，④，⑤）。

働き掛けの内容は，離職後２年の間に，職務上の行為をするように，若しくはしないように要求し，又は依頼することである（法38の2①）。ただし，法律の規定に基づく行政庁による指定等を受けた者が行うのに必要な場合等禁止の対象とならない場合がある（法38の2⑥）。

また，再就職者のうち，地方公共団体の長の直近下位の内部組織の長等の職に離職した日の５年前の日より前に就いていた者は，当該職に就いていた時に在職していた地方公共団体の執行機関の組織等の役職員等に対し，契約等事務であって離職した日の５年前の日より前の職務に属するものに関し，離職後２年間，働き掛けをしてはならない（法38の2④）。

更に，再就職者は，在職していた地方公共団体の執行機関の組織等の役職員等に対し，当該地方公共団体・特定地方独立行政法人と営利企業等・その子法人との間の契約であってその締結に自ら決定した等のものに関し，働き掛けをしてはならない（法38の2⑤）。

職員は，適用除外の場合を除き，再就職者から禁止される要求又は依頼を受けた場合，人事委員会又は公平委員会に届け出なければならない（法38の2⑦）。

2　違反行為の疑いに係る任命権者の報告

任命権者は，職員又は職員であった者に，規制違反行為を行った疑いがあると思料する場合，その旨を人事委員会又は公平委員会に報告しなければならない（法38の3）。

3　任命権者による調査

任命権者は，規制違反行為の調査を行おうとする場合，人事委員会又は公平委員会にその旨を通知しなければならず（法38の4①），調査終了後は，遅滞なく，その結果を報告しなければならない（法38の4③）。

4　任命権者に対する調査の要求

人事委員会又は公平委員会は，規制違反行為の疑いがあると思料する場合，任命権者に対し調査を行うよう求めることができる（法38の5①）。

5　退職管理の適正を確保するための措置

地方公共団体は，国家公務員法の退職管理に関する規定の趣旨及び当該地方公共団体の職員の離職後の就職状況を勘案し，退職管理の適正を確保するための措置を講ずるものとする（法38の6①）。

6　再就職情報の届出

地方公共団体は，条例で定めるところにより，再就職した元職員に再就職情報の届出をさせることができる（法38の6②）。

7　罰　則

これらの規制に違反して，不正な働き掛けをした再就職者や働き掛けに応じて不正行為をした職員等に対しては，罰則が設けられている（法60Ⅳ～Ⅷ，63，64）。

84 職員研修

地公法 39

1　職員研修の意義

地方公共団体の行政の民主的かつ能率的な運営を保障する（法 1）ためには，行政施設等の整備のみならず，行政運営に携わる職員個々の資質の向上が肝要である。そのため，職員には，その勤務能率の発揮及び増進のために，研修を受ける機会が与えられなければならない（法 39 ①）。

一般に研修とは，自ら行う「研究と修養」と他から行われる「教育訓練」とがあるとされるが，本条の「研修」は，任命権者が行うもの（法 39 ②）なので，他律的な意味と解してよい。しかし，教える者と学ぶ者との目的の合致が教育効果を最大にするといわれており，このことは，職員研修についても同じである。

社会経済の変動が激しく，住民の行政需要が多様化する今日，地方公共団体の行政もこれに的確に対応する必要があり，合理的な人事管理，適切な職員処遇及び職員研修が三位一体となって遂行されなければならない。

2　研修の実施

研修の機会を与え（法 39 ①），研修を実施するのは任命権者である（法 39 ②）。また，地方公共団体は，研修の目標等研修に関する基本的な方針を定めるものとされている。他方，職員は，その勤務時間及び職務上の注意力のすべてをその職責遂行のために用いることとされている（法 35）。いわゆる職務専念義務である。また，勤務時間外は原則として自由な私生活の時間帯である。

このため，研修の実施責任は任命権者にあるとともに，研修を受けている間は，その職員の職務専念義務が免除される必要がある。任命権者は，研修ニーズの把握に努め，研修計画を立案し，実施した研修の効果を測定することにより，次の研修計画の立案に資するようにしなければならない。

また，研修と合理的な人事管理との連携を図るため，研修についての記録の作成保管はもとより，職員個々の履歴にも研修受講の事実を記録することが必要である。

3　内容と方法

現代行政の担当者にとって，日常の職務遂行の場にあっても，知識と技術の点検・修得は欠かすことができないものとなっている。これが職場研修（OJT : On the Job Training）である。他方，一定の期間職務を離れて集中的に研修を受けさせることが効果的な場合があり，これが職場外研修＝集合研修（OffJT : Off the Job Training）である。

集合研修には，職員の職務経験や職責の度合いに着目して実施される「職層別研修」と行政の専門分化に即した「専門研修」とがある。研修の呼び名は一定ではないが，新任研修，現任研修，監督者研修，管理者研修などが前者であり，後者は接遇研修，戸籍研修，税務研修，まちづくり研修等と多種多様である。

また，任命権者は自ら研修を実施するのであるが，他の機関に研修を委託することも認められており（行実昭 30.10.6），また，大学の通信教育における面接授業（スクーリング）に参加する期間を研修期間として特別休暇を認めることも差し支えないとされている（行実昭 27.8.26）。研修施設，講師の確保などの面で，すべての地方公共団体が，自らの手によってのみ研修を実施することは不可能である。したがって，任命権者はあらゆる機会を利用する必要があり，これは法的にも認められなければならない。

教員には，授業に支障のない限り，本属長の承認を受けて，勤務場所を離れて研修を行うことができる（教特法 22②）とされており，1週の勤務時間の割振を勘案して，その範囲内において適切に承認すれば，自宅研修を認めることができる（行実昭 24.5.19）とされている。

4　人事委員会の役割

人事委員会は，研修について絶えず研究を行い，その成果を地方公共団体の議会若しくは長又は任命権者に提出することとされている（法８①Ⅱ）。また，人事委員会は，研修に関する計画の立案その他研修の方法について任命権者に勧告することができる（法 39④）。このような権限は，研修が専門的技術的側面を持っていること，各任命権者間で不統一，アンバランスであってはならないことから，専門的人事行政機関である人事委員会に付与されたものである。

85 厚生制度

地公法41，42

1　制度の概要

地方公共団体及び特定地方独立行政法人は，適切かつ公正の基準により（法41），職員の保健，元気回復その他厚生に関する事項について計画を樹立し，これを実施することを義務づけられている（法42，地方独法53③）。

職員の福祉を保護するための物的施設及び制度的施設の一つである厚生制度について，地方公務員法は保健に関する事項，元気回復に関する事項及びその他厚生に関する事項として例示しているが，それには次の諸施設を挙げることができる。

（1）　保健に関する事項　職員用の病院，診療所，保健室などの医療施設及び保養所の設置，整備

（2）　元気回復に関する事項　海の家，山の家，運動場などの設置，図書室の設置，講習会の開催，体育大会や文化祭などの諸行事の開催など職員が利用し，参加できるような文化，体育，娯楽関係の施設の設置，整備

（3）　その他厚生に関する事項　安全衛生に関すること，住宅に関すること，生活援助等

2　制度の必要性

近代的公務員制度が確立するまでは，厚生制度は使用者側の恩恵的なものとして考えられていたが，現代では，地方公務員法に定めるように，職員の志気を高めることにより公務能率を増進し，もって地方公共団体の行政を効率的にさせるものとして，使用者である地方公共団体が当然に実施すべきものとされている。

社会経済の変動が激しく，行政需要が多様化するにつれ，行政の専門分化が進み，多方面にわたる調整と折衝が増えている。このことは，職務遂行に当たっての職員の緊張感を強め，心身の疲労度を倍加する原因になる。これを放置すれば，職員の健康を害し，十分な元気回復を困難にするおそれが多分にある。これらの阻害要因を取り除くだけでなく，より積極

的に意欲向上を図ろうとするのが，厚生制度を近代的公務員制度に不可欠のものとする理由である。

3　制度の内容

地方公務員法の厚生制度は，民間企業では法定外福利厚生と呼ばれるものといえる。

（1）　保健に関する事項　先に挙げた諸施設の設置，整備とともに，適当な組織区分ごとに健康管理者を置き，健康管理組織を通じて健康診断の実施，事後措置として精密検診，就業の制限や禁止について配慮する。

（2）　元気回復に関する事項　元気回復すなわちレクリエーションは，職員の健全な文化，教養，体育等の活動を通じて，その元気を回復するものでなければならず，また，職員相互の緊密度を高めるものであることとされている。そのため，施設の設置・管理のほか，諸行事の開催とそれへの参加が挙げられるが，特にレクリエーション行事の実施に当たっては，疲労を回復する程度のものであること，機会均等であること，多様性があること，健全であり品性を養うものであること，自発性が考慮されること等が必要である。

（3）　その他厚生に関する事項　前述のほか，多くの団体で実施されている具体例としては，職員住宅の設置，住宅資金等の低利貸付，互助組織に対する負担金及び補助金の交付，食堂経営等がある。

4　問題点

地方公共団体に義務づけられる厚生制度は，その経費を公費で負担している。そのため，この制度を利用し，受益する職員にとっては，実質的な給与であると考えられることがある。給与条例主義（法25）の抜け道として悪用されるおそれもあり，適正妥当な制度の運用を常に心掛けることが必要である。また，厚生制度の充実を理由に，基本的給与その他の勤務条件の改善を怠ることもないとはいえないので，注意を要するところである。

86 共済制度

地公法 43

1　制度の意義

共済制度は，職員又はその被扶養者の病気，負傷，出産，死亡又は災害等に関して適切な給付を行うため，また，職員の退職後の本人又は被扶養者の生活の維持を図るための相互救済を目的としている（法 43①，③）。

この制度には，退職年金制度が含まれていなければならず（法 43②），また，国の制度と権衡を失しないように（法 43④），更に，経理については健全な保険数理を基礎として定められなければならない（法 43⑤）。共済制度は法律によって定めることとされ（法 43⑥），それを具現化したものが地方公務員等共済組合法である。この法律は，共済組合を設けることを定めるとともに，給付，福祉事業及び年金制度に関して定めている。

2　共済組合

共済組合は，公法人である６種の組合に組織されている（地共法３）。

（1）　地方職員共済組合　道府県の職員（(2)及び(3)の職員を除く。）

（2）　公立学校共済組合　公立学校及び都道府県教育委員会（教育機関を含む。）の職員

（3）　警察共済組合　都道府県警察の職員

（4）　都職員共済組合　都（(2)及び(3)の職員を除く。）及び特別区の職員

（5）　指定都市職員共済組合（指定都市ごとに設置）　地方自治法 252 条の 19・１項に規定する指定都市の職員（(2)の職員を除く。）

（6）　市町村職員共済組合（都道府県の区域ごとに設置）　指定都市以外の市及び町村の職員（(2)の職員を除く。）

なお，これらのほかに，一定の要件を備えた職員により都市職員共済組合が設置できる。特定地方独立行政法人の職員は，設立団体の職員を組合員とする共済組合のいずれか一の共済組合の組合員となるものとされている（地共法３④）。また，すべての共済組合及び市町村連合会をもって組織する地方公務員共済組合連合会が設置される（地共法 38 の２）。

組合員資格の得喪は任意ではなく，職員となった者はその日から組合員

となり，死亡又は退職により資格を失う（地共法39）。

共済組合は，定款，運営規則を定め（地共法５，17），毎年度事業計画及び予算を定めなければならない（地共法21）。また，審議機関として運営審議会又は組合会が（地共法６，７，９），執行機関である役員として理事長，理事及び監事が設置される（地共法11）。

組合の給付には，短期給付と長期給付とがあり，また，共済組合は，共済組合員の福祉を増進するため，福祉事業を行うことができる（地共法112）。

（１）　短期給付　　民間における健康保険に相当するものであり，法定給付と各共済組合が法定給付に準じて行う附加給付（地共法54）とがある。法定給付には，保健給付，休業給付及び災害給付がある（地共法４章２節）。

（２）　長期給付　　共済組合員が退職，死亡又は一定程度の障害にある状態にある場合に，生活の安定を図ることを目的として行われる給付で，退職等年金給付及び厚生年金保険給付がある（地共法74）。

費用負担については，短期給付については事業年度ごとに，長期給付については将来にわたり給付に必要な額と共済組合員の掛金並びに地方公共団体及び特定地方独立行政法人の負担金の合計額との間で均衡するように算定する（地共法113①）。共済組合員の掛金と地方公共団体等の負担金の割合は，原則として折半である（地共法113②）。

３　年金制度の一元化

民間の労働者が加入する厚生年金は，１階部分が基礎年金で２階部分が被用者年金（厚生年金）であるが，公務員の場合は，２階部分の従前の共済年金は，職域部分を含む分だけ厚生年金よりも受給額が多い。そこで，平成27年10月に社会保障と税の一体改革の一環として，年金制度の一元化が実施された。その主な内容は，次のとおりである。

①　地方公務員は国家公務員と共に厚生年金に加入し，２階部分の年金は厚生年金に統一された。②　共済年金と厚生年金との制度の差は，厚生年金にそろえて解消された。③　保険料率は，厚生年金のそれに統一された。④　共済組合は，被保険者の記録管理，標準報酬の決定・改定，保険料の徴収，保険給付の裁定等を行う。⑤　職域部分が廃止され，代わりに退職等年金給付の制度（いわゆる年金払い退職給付）が設けられた。

87 共済組合の給付

地公法 43

1　短期給付

短期給付には，法で定められている法定給付と各共済組合が法定給付に独自に上乗せする付加給付とがある。法定給付の主なものは次のとおり。

（1）　保健給付

①　療養の給付，療養費及び家族療養費　療養の給付は，職員の公務によらない病気又は負傷に対し，診察，治療，入院等の現物給付である（地共法 56）。療養費は，現物給付が困難である場合に，現物の給付に代えて金銭が支給される（地共法 58）。家族療養費は，被扶養者の病気又は負傷に対し，金銭が支給される（地共法 59）。

②　出産費及び家族出産費　職員が出産した場合は出産費が，被扶養者が出産した場合は家族出産費が支給される（地共法 63）。

（2）　休業給付

①　傷病手当金　職員が公務によらない病気又は負傷により勤務できなかった場合に支給される（地共法 68）。

②　出産手当金　職員が出産した場合に支給される（地共法 69）。

③　育児休業手当金　職員が育児休業した場合に支給される（地共法 70の2）。

④　介護休業手当金　職員が介護休業した場合に支給される（地共法 70の3）。

（3）　災害給付

①　弔慰金及び家族弔慰金　職員及び被扶養者が非常災害により死亡した場合に支給される（地共法 72）。

②　災害見舞金　職員が非常災害により住居又は家財に損害を受けた場合に支給される（地共法 73）。

2　長期給付

支給される年金は，国民年金法に基づく基礎年金（1階部分），厚生年金として給与額に比例する厚生年金保険給付（2階部分）及び退職等年金給付（従前の３階部分）がある。なお，年金額は，物価変動等に応じて改定される（国民年金法27〜27の５，33，33の２，38〜39の２，厚生年金保険法43〜43の５，50，57，60，地共法113①）。

（１）　基礎年金

①　老齢基礎年金　国民年金の保険料納付済期間・免除期間の合計10年以上ある者が，65歳に達した場合に支給される（国民年金法26，27）。

②　障害基礎年金　障害の原因となった傷病の初診日から１年６か月を経過した日に，重度の障害（１級又は２級）にある場合に支給される（国民年金法30〜30の４）。

③　遺族基礎年金　国民年金の被保険者，老齢基礎年金の受給権者が死亡した場合に，遺族の配偶者又は子に支給される（国民年金法37，37の2）。

（２）　厚生年金保険給付

①　老齢厚生年金　厚生年金の保険料納付済期間・免除期間の合計が10年以上ある者が，退職後65歳に達した場合等に支給される（厚生年金保険法42）。

②　障害厚生年金及び障害手当金　障害厚生年金は，傷病により初診日から１年６か月を経過した日に重度の障害（１級〜３級）にある場合に支給される。障害手当金は，在職中の傷病により，初診日から５年後までの間で傷病の治った日に一定の障害の状態にある場合に支給される（厚生年金保険法47〜47の３，55）。

③　遺族厚生年金　厚生年金の被保険者，障害厚生年金（１級又は２級）の受給権者又は老齢厚生年金の受給権者が死亡した場合に，遺族に支給される（厚生年金保険法58）。

（３）　退職等年金給付

退職年金，公務障害年金及び公務遺族年金がある（地共法87，88，91，97，103）。退職年金の場合，半分は10年支給，20年支給又は一時金を選択する有期退職年金で，半分は65歳から支給（60歳からの繰上げが可能）の終身退職年金である。

３　長期給付の経過措置

長期給付については，何度もの制度改正により，年金の受給要件，支給開始年齢，年金額の計算方法等について経過措置が設けられている。

88 公務災害補償制度

地公法 45

1　制度の概要

地方公共団体及び特定地方独立行政法人は，職員が公務により死亡し，負傷し，又は疾病にかかった場合は，その者又はその者の遺族若しくは被扶養者に対し，損害を補償する義務を負う。公務による負傷若しくは疾病により死亡し，又は障害の状態となった場合も同様である（法 45 ①）。

これらの補償が迅速かつ公正に実施されることを確保するための制度の確立を法は定めており（法 45 ②），これの具体化されたものが地方公務員災害補償法である。この補償の制度は，国の制度との間に権衡を失することのないようにしなければならず（法 45 ④），国家公務員災害補償制度及び労働者災害補償保険制度とほぼ同様のものとなっている。

地方公務員の災害補償制度は三つの特徴を持っている。一つは，公務上の災害だけでなく，通勤による災害についても補償の対象としていること，次は，使用者側の無過失責任主義を採っていること，最後に，年金制度を採用することにより，被災者の将来の生活をも考慮した社会保障的な性格を持つことである。

2　制度の適用範囲と「基金」

この制度は，一般職及び特別職を含み，また，常勤，非常勤を問わずほとんど全ての地方公務員及び特定地方独立行政法人の職員に適用される。除かれるのは，労働者災害補償保険法，船員保険法など特定の法律の適用を受ける非常勤の地方公務員である。

議会の議員，各種行政委員会の委員，その他の非常勤職員は，地方公務員災害補償法に基づく各地方公共団体の定める条例によって補償が行われる（地公災法 69）ため，団体によって補償内容に差異があるが，常勤の職員については，地方公務員災害補償基金により，全国的に同一の補償が行われることになっている。

地方公務員災害補償基金は，補償の迅速かつ公正な実施を確保するために専門的機関として法に基づいて設置された公法人である（地公災法 3）。

東京に本部を置き，都道府県ごと及び指定都市ごとに支部が置かれる。

3　公務災害と通勤災害

（1）　公務災害　　公務に因る死亡等を一括して公務上の災害というが，職員に係る災害が公務上の災害であるかどうかの判断は容易でない。公務災害として認定されるためには，「公務起因性」と「公務遂行性」の両者が満たされなければならない。

公務起因性とは，その災害と公務との間に一定の因果関係が存在することをいう。また，公務遂行性とは，職員が公務に従事し，これが任命権者の支配下にある関係をいう。

（2）　通勤災害　　通勤途上の災害は，原則として，任命権者の支配下において発生するものではない。すなわち，公務遂行性の要件を備えていない。しかし，公務の遂行と通勤とは密接不可分の関係にあり，また，通勤災害が社会的危険であり，一定程度において避けがたいものであるため，公務起因性が認定されれば，公務災害補償の対象となる。通勤と災害との間の相当因果関係があればよいとされる。

4　請求主義による認定

職員の死亡や負傷，疾病等が公務災害に該当するか否かは，公務災害補償を受けようとする者の請求に基づき，基金が認定する（地公災法45）。

5　補償の内容

地方公務員法は，補償に関する制度として，次の四つの事項を定めている（法45③）。

（1）　療養又は療養の費用の負担

（2）　療養の期間中の所得の喪失に対する補償

（3）　永久に，又は長期に所得能力を害された場合に受ける損害に対する補償

（4）　死亡の場合の遺族又は被扶養者の受ける損害に対する補償

これらを受けて，地方公務員災害補償法は補償内容を定めているが，現行の補償は，療養補償，休業補償，傷病補償年金，障害補償，介護補償，遺族補償及び葬祭補償である（地公災法25）。なお，金銭による補償のほかに，その補完作用を目的とした福祉事業を行うように努めなければならない（地公災法47）とされている。

89 措置要求制度

地公法 46～48

1　制度の意義

職員は，給与，勤務時間その他の勤務条件に関し，人事委員会又は公平委員会に対して，地方公共団体の当局により適当な措置が執られるべきことを要求することができる（法46）。

全体の奉仕者である職員は，一般の労働者に認められる労働基本権の制限を受けるため，勤務条件の条例制定主義（法24⑤），情勢適応の原則（法14）あるいは人事委員会の勧告制度（法26）などにより代償措置が講じられているが，なお，職員の適正な勤務条件を確保し，その権利，利益を保護するため，この制度が設けられたのである。

また，地方公営企業の職員，特定地方独立行政法人の職員及び単純労務職員は，勤務条件を団体交渉によって定める権利を有し，勤務条件の争いを労働委員会のあっせん，調停及び仲裁の制度で解決できるので，措置要求の制度は適用されない（地公企法39①，地公労法17①，附則⑤，地方独法53①）。

なお，この措置要求の申出を故意に妨げた者には，罰則が科される（法61Ⅴ）。

2　措置要求権者

勤務条件に関して措置要求できる者は，職員のみである。臨時職員や条件付採用期間中の職員も含まれる。しかし，既に退職した者は措置要求することができない（行実昭27.7.3）。退職者は退職手当についても要求できないとされている（行実昭29.11.19）。

職員に限り認められる権利であるので，職員が個々に要求することはもちろん認められるし，また，職員個々が共同して要求することも可能である（行実昭26.11.21）。しかし，職員団体は一般的な勤務条件のみならず，職員個々の具体的な勤務条件についても措置要求できない（行実昭26.10.9）。

3　措置要求事項

措置要求できる事項は，給与，勤務時間その他の勤務条件である。ここでいう勤務条件とは，地方公務員法24条5項の職員の勤務条件，同法55条1項の職員団体の交渉の対象となる勤務条件と同旨である。法制意見や行政実例では，勤務条件とは，給与及び勤務時間のような，職員が地方公共団体に対し勤務を提供するについて存する諸条件で，職員が自己の勤務を提供し，又はその提供を継続するかどうかの決心をするに当たり，一般的に当然考慮の対象となるべき利害関係事項であるとしている（法制意見昭26.4.18，行実昭35.9.19）。したがって，相当広範囲にわたっており，現に適用されている勤務条件の改善を求めるばかりでなく，現行条件を変えないことを要求することも可能である（行実昭33.11.17）。

措置要求できない事項は，勤務条件でない事項である。いいかえれば，地方公共団体の管理運営事項に属するものである。旅費や時間外勤務手当等の予算の増額（行実昭34.9.9），服務に関すること（行実昭27.4.2）などは措置要求の対象とならない。職員定数についても同様である（行実昭33.10.23）。

4　措置要求の審査

措置要求の審査機関は，人事委員会又は公平委員会である（法47）。県費負担教職員の場合は，その職員の任命権者の属する地方公共団体の人事委員会が審査機関となる（地教行令7）。

措置要求を受けた人事委員会又は公平委員会は，あらかじめ定める規則（法48）に基づいて，事案について口頭審理その他の方法による審査を行い，事案を判定し，その結果に基づいて，その権限に属する事項については自らこれを実行し，その他の事項については，当該事項に関し権限を有する地方公共団体の機関に対し，必要な勧告をしなければならない（法47）。人事委員会又は公平委員会の勧告は，法的拘束力を持つものではないが，勧告を受けた地方公共団体の機関は，その実現に向けて努めなければならないものである。

なお，措置要求に対する判定についての再審の手続はない（行実昭33.12.18）が，措置要求が違法に却下されたり，審査手続が違法に行われた場合は，取消訴訟の対象となる（最判昭36.3.28）。

90 審査請求

地公法 49～51

1　不利益処分に関する説明書の交付

任命権者は，職員に対し，懲戒その他その意に反すると認める不利益な処分を行う場合においては，その際，その職員に対し処分の事由を記載した説明書を交付しなければならない（法 49①）。

職員は，その意に反して不利益な処分を受けたと思うときは，任命権者に対し処分の事由を記載した説明書の交付を請求でき，任命権者は，請求を受けた日から15日以内に説明書を交付しなければならない（法 49②，③）。

ここでいう不利益処分とは，任命権者による職員の意に反して行われた不利益な処分をいい，具体的には，懲戒処分（免職，停職，減給，戒告）と分限処分（免職，休職，降任，降給）である。不利益処分に該当しない例として，定期昇給の未実施（行実昭 29.7.19），勤勉手当の減額支給（行実昭 38.10.24）（この場合，勤務条件に関する措置の要求の対象となる。），退職手当支給額（行実昭 45.7.22），年次有給休暇の不承認（行実昭 35.10.14）（この場合，勤務条件に関する措置の要求の対象となる。）等がある。

説明書には，当該処分につき，人事委員会又は公平委員会に対して審査請求をすることができる旨及び審査請求をすることができる期間を記載しなければならず（法 49④），また，当該処分に係る取消訴訟の被告とすべき者，取消訴訟の出訴期間及び審査請求に対する裁決を経た後でなければ，処分の取消しの訴えができない旨を記載しなければならない（行政事件訴訟法 46①）。この制度を教示制度という。

2　審査請求

不利益な処分を受けた職員は，人事委員会又は公平委員会に対してのみ審査請求をすることができる（法 49 の 2①）。

不利益処分以外の処分については，審査請求をすることはできない。職員がした申請に対する不作為についても，同様である（法 49 の 2②）。

条件付採用期間中の職員，臨時的任用職員，地方公営企業の職員，特定地方独立行政法人の職員及び単純労務職員については，この制度の適用はない（法29の2①，地公企法39①，地方独法53①，地公労法附則⑤）。

審査請求は，処分があったことを知った日の翌日から起算して３月以内にしなければならず，また，処分があった日の翌日から起算して１年を経過したときは，することができない（法49の３）。

３　審査請求の審査方法

人事委員会又は公平委員会は，審査請求を受理したときは，直ちにその事案を審査しなければならない。この場合，処分を受けた職員から請求があったときは，口頭審理を行わなければならない。口頭審理は，その職員から請求があったときは，公開して行わなければならない（法50①）。なお，審理の内容が公序良俗に反するときなど合理的な事由がある場合は，非公開とすることができる（行実昭44.5.30）。

審査請求の手続は，人事委員会又は公平委員会の規則で定めることとされ（法51），審理は，人事委員会又は公平委員会の職権によって進められ，証拠調べ等も当事者の申請を待つまでもなく，人事委員会又は公平委員会の主体性に基づいて行われる。また，当事者の申請又は職権で，同一又は相関連する事案に関する数個の不服申立てを併合して審査することを適当と認めるときは，併合して審査できる。

審査の途中で，審査請求人が退職した場合においても，その退職によって請求の利益が失われることのないもの（例えば，懲戒処分の取消しを求める請求等）については，継続して審査を行わなければならない（行実昭37.2.6）。

審査請求者死亡の場合，審査を打ち切り，請求を棄却するよう措置することが適当である（行実昭26.9.4）。当該処分を取消し又は修正することになお実益がある場合，審査を継続することができる（行実昭41.10.19）。

人事委員会又は公平委員会は，審査の結果に基づいて，その処分を承認し，修正し，又は取り消す。また，必要がある場合には，任命権者にその職員がその処分によって受けた不当な取扱いを是正するための指示をしなければならない（法50③）。この指示に故意に従わなかった者には，罰則が科される（法60Ⅲ）。また，人事委員会又は公平委員会の裁決は，任命権者に対して法的拘束力を有し，例えば，免職処分が取り消された場合，その免職処分は，処分の時にさかのぼって効力を失う。

91 審査請求と訴訟

地公法 51 の 2

1　審査請求と出訴の権利

不利益処分を受けた職員は，人事委員会又は公平委員会に対してのみ審査請求をすることができる（法 49 の 2①）。

審査請求は，人事委員会又は公平委員会によって行われ，裁決がなされる（法 8①X，②II，⑧）。しかし，このことは人事委員会の判定についての法律問題につき裁判所に出訴する権利に影響するものではないとされている（法 8⑨）。

出訴する権利は，職員にある。任命権者その他地方公共団体の機関は出訴できない（行実昭 27.1.9）。行政事件訴訟法は，国又は公共団体の機関相互の争いに関する訴訟を機関訴訟といい（同法 6），これについては，法律に定める場合に限って提起できる（同法 42）としているからである。

2　審査請求前置主義

不利益処分を受けた職員は，人事委員会又は公平委員会に対して審査請求をし，その裁決を経た後でなければ，不利益処分の取消しの訴えを提起することができない（法 51 の 2）。これを審査請求前置主義という。

一般には，行政処分についての取消しの訴えは，当該処分についての審査請求ができる場合であっても訴えを提起することができるのであるが，法律に審査請求に対する裁決を経た後でなければ訴えを提起できない旨の定めがあるときは，取消しの訴えを直ちに提起することはできないのである（行政事件訴訟法 8①）。

職員の処分についての紛争解決を，第 1 次的に人事委員会又は公平委員会の判断に任せているのは，これらの機関が専門的かつ中立的な人事行政機関であり，争訟の審理を迅速かつ円滑に進めることができると考えられたからである。

しかし，この審査請求前置主義には特例が定められており，この場合には人事委員会又は公平委員会の裁決を待つことなく，処分の取消しの訴えを提起することができる。すなわち，

（1）　審査請求があった日から３か月を経過しても裁決がないとき。

（2）　処分，処分の執行又は手続の続行により生じる著しい損害を避けるため緊急の必要があるとき。

（3）　その他裁決を経ないことにつき正当な理由があるとき。

である（行政事件訴訟法８②）。

なお，審査請求前置主義は，職員に対する不利益処分の取消しの訴えについて適用されるのであり，処分の無効確認の訴えには適用されない。

３　取消訴訟の目的

取消訴訟において，処分の取消しの訴えは審査請求に係る裁決を経た後，処分の違法を理由として提起できる。しかし，その処分についての審査請求を棄却した裁決の取消しの訴えを提起できる場合においては，原処分の違法を理由として裁決の取消しを求めることができない（行政事件訴訟法10②）。これは，訴訟においては，取消しの直接の目的となっている処分，すなわち原処分についての違法性を審理することになるからである。

要するに，職員に対する不利益処分の審査請求において，人事委員会又は公平委員会が原処分を承認して裁決した場合には，審査請求をした職員は，処分の取消しの訴えも裁決の取消しの訴えも提起できるが，原処分を取り消して利益を回復しようとするときは，処分の取消しの訴えによらなければならないということである。

４　行政不服審査法の改正

平成26年に行政不服審査法が全部改正された。これにより，①　不服申立ての手続は，手続保障の水準を向上させるため，従前の「審査請求」又は「異議申立て」が「審査請求」に一元化された。②　審理員による審理手続及び第三者機関の諮問手続が導入されたが，職員に対する不利益処分に関する審査請求については，従前どおり専門的な人事機関である人事委員会又は公平委員会が審査庁なので，これらの手続は適用されない（行政不服審査法９①ただし書）こととされた。

㊾ 地方公務員の労働基本権

地公法 37，52～55

1　労働基本権の意義

日本国憲法 28 条は，「勤労者の団結する権利及び団体交渉その他の団体行動をする権利は，これを保障する。」と定めている。いわゆる労働基本権の保障，すなわち，団結権，団体交渉権及び団体行動（争議）権という労働三権を基本的人権の一つとして保障したものである。この規定は，長年月にわたる使用者と労働者との間における様々な関係の歴史の中で次第に確立され，制度化されたものといえる。資本主義社会において，労働者は使用者との関係を通じて自己の生存を維持し，生活を向上させていかなければならないが，これを近代市民社会の法原理である自由な契約関係に任せておけば，結果としては労働者の生存が脅かされるという実情がある。そこで，労働者は団結することにより使用者と実質的対等の立場に立ち，団体交渉及び団体行動を通じて，労使関係を自主的に形成し生活の維持，向上に努めることが，社会の発展に寄与するものとされたのである。

2　公務員の労働基本権

公務員は，日本国憲法 28 条の「勤労者」であるかについては，我が国の労働法令が特に公務員を排除する規定を設けていないので，日本国憲法の「勤労者」に含まれるとするのが通説である。また，判例も公務員が勤労者であることを繰返し肯定している（最判昭 28.4.8，最判昭 44.4.2，最判昭 48.4.25）。

しかし，公務員の労働基本権については，民間企業労働者とは異なり，一定の制限がされている。これは，公務員が全体の奉仕者（憲法 15②）であり，公共の利益のために勤務し，かつ，職務の遂行に当たっては全力を挙げてこれに専念しなければならないので，労働基本権が公共の福祉のため制約されるのはやむを得ないとされる。

3　労働基本権の変遷

第 1 期は，警察官吏，消防職員等がその職務の特殊性に基づいて労働組合の結成，加入を禁止される以外は，その他の職員は，労働組合の結成，加入の自由が認められ，現業の職員は原則として争議行為も禁止されていなかった時期である（昭21～昭23）。

第2期は，官公労働者による争議行為の頻発という情勢を踏まえて，大幅に地方公務員の労働基本権が制限された時期である。

すなわち，昭和23年7月に政府は政令第201号を制定し，国又は地方公共団体の職員は，国又は地方公共団体に対して，同盟罷業，怠業的行為等の脅威を裏付けとする，いわゆる団体交渉権を有しないものとされた。一定の制限の下に，団結する権利，適法な交渉をする権利は認められているが，争議権は全面的に禁止された時期である（昭23～昭40）。

第3期は，ILO87号条約（結社の自由及び団結権の保護に関する条約）の批准により，国内関係法が改正され，現制度が確定した時以後である（昭40～）。

4　労働基本権保障の態様

区分	団結権		団体交渉権	争議権	主要な根拠法
	職員団体	労働組合			
一般職員	○	×	△	×	地公法
教育職員	○	×	△	×	地公法 教特法
単純労務職員	○	○	職員団体 △ 労働組合 ○	×	地公法 地公労法 労組法 労調法
特定地方独立行政法人の職員 地方公営企業の職員	×	○	○	×	地方独法 地公労法 労組法 労調法
警察・消防職員	×		×	×	地公法

×…禁止，○…制限なし，△…一部制限（交渉可，団体協約締結権なし）

なお，消防職員については，地方公共団体の消防本部ごとに，勤務条件や厚生福利等について組織内の意思疎通を図る消防職員委員会が設けられている（消防組織法17）。

93 職員団体

地公法52

1　職員団体の目的

職員団体は，職員がその勤務条件の維持改善を図ることを目的として組織する団体又はその連合体である（法52①）。職員団体が，勤務条件の維持改善を図る主目的のほかに，副次的に親睦団体として社交的，厚生的事業を目的とすることは差し支えない。しかし，職員が組織する団体であっても，主目的が政治目的や社交的，厚生的なものは，職員団体ではない。

職員団体と労働組合法上の労働組合とは目的においては同じであるが，活動できる範囲及び構成員となれるものの限定性などの相違がある。すなわち，職員団体は団体協約を締結する権利が認められていないこと，職員に争議権が認められていないので，職員団体の争議行為も禁止されていることである。

2　職員団体の組織

一般の行政事務に従事する職員及び教育職員は，職員団体を組織することができる（法52①～③）。これらの職員が主たる構成員であれば足りるものとされていて（通知昭40.8.12），これらの職員以外の者が少数加入していても職員団体となることができる。しかし，警察職員及び消防職員は，職員団体を結成し，又は加入してはならないとされている（法52⑤）。また，地方公営企業の職員又は特定地方独立行政法人の職員が主体となって組織する団体は，職員の職務内容が民間企業のそれに類似しているので労働組合になることができるが，職員団体になることはできない（地公労法4，5①，地公企法39①，地方独法53①Ⅰ）。更に，単純労務職員は，職員団体と労働組合のいずれをも結成し，又は加入することができる（地公労法附則⑤）。

職員団体は，他の地方公共団体の職員と結成し，又は他の公共団体の職員を加入させることもできる。また，個々の職員団体の連合体も職員団体である（法52①）。しかし，職員団体と労働組合との連合体は，職員団体ではない。

職員団体の結成や加入については，職員は，自己の意思に基づいて自由に行うことができる（法52③）。いわゆるオープン・ショップ制が採られている。すなわち，職員への採用条件として職員団体への加入が義務付けられているユニオン・ショップ制や，職員の採用を職員団体の構成員の中からだけとし，構成員でなくなった場合は職員の身分を失うとするクローズド・ショップ制は採られていない。

管理若しくは監督の地位にある職員又は機密の事務を取り扱う職員（管理職員等という。）は，それ以外の職員とは労使関係における立場が異なるので，同一の職員団体を組織することはできない（法52③ただし書）。管理職員等のみで職員団体を組織することはできる。管理職員等とそれ以外の職員とが組織する団体は，職員団体ではない（法52③ただし書）。

管理職員等の範囲は，中立的人事行政機関である人事委員会又は公平委員会がその規則で定めることとされている（法52④）。

職員団体は，その役員を自主的に選任することができる。役員とは，執行委員長，書記長，会計，執行委員，監事などで，職員団体の執行機関や監査機関をいう。

94 職員団体の登録

地公法 53

1　登録の要件

職員団体は，条例で定めるところにより，理事その他の役員の氏名及び条例で定める事項を記載した申請書に規約を添えて人事委員会又は公平委員会に登録を申請することができる（法 53 ①）。人事委員会又は公平委員会は，職員団体が登録の要件に適合している場合は，登録しなければならない（法 53 ⑤）。登録を受け，登録を継続するための要件は，次のとおり。

（1）　職員団体の規約に，名称等必要事項が記載されていること（法 53 ②）。

（2）　規約の作成や役員の選挙等の職員団体の重要事項が民主的な手続によって決定されること（法 53 ③）。

（3）　職員団体の構成員が，同一の地方公共団体の職員のみで組織されていること（法 53 ④）。ただし，一の都道府県内の公立学校の職員のみをもって組織する職員団体であって，その都道府県の二以上の地方公共団体にまたがって組織されているものは，その都道府県の人事委員会に登録することができる（教特法 29 ①）。

異なる地方公共団体の職員又は少数の第三者が加入していても職員団体となることができるのに対し，構成員が同一の地方公共団体の職員のみの職員団体でないと登録を受けられないのは，職員の勤務条件は，それぞれの地方公共団体の条例で定められているからである（法 24 ⑤）。また，公立学校の教職員のうち県費負担教職員は，身分は市町村の職員であるが，その給与は都道府県が負担し，勤務条件は都道府県の条例で定められるからである（地教行法 42）。更に，分限若しくは懲戒処分により免職されて 1 年以内の者又はその期間内にその処分について審査請求若しくは裁判の係属中の者を構成員及び職員団体の役員としていても，登録の要件に適合している（法 53 ④ただし書，教特法 29 ②）。なお，職員でない者を役員としていても，登録の要件に適合している（法 53 ⑤）。

2　登録の効果

登録制度は，職員団体の組織，運営が自主的，民主的であることを公証するものであり，登録することにより，次のような効果が生じる。(1)適法な交渉の申入れに対し，当局はこれに応ずべき地位に立つ（法55①）。(2)　法人格を取得でき（職員団体等に対する法人格の付与に関する法律3①Ⅲ），財産の取得，契約の締結等の経済活動を職員団体自身の名称で可能になる。(3)　役員は，任命権者の許可を受けて，在籍専従職員となることができる（法55の2①ただし書）。

3　登録の効力の停止

登録を受けた職員団体が，職員団体でなくなった場合，要件に適合しない事実があった場合又は変更の届出をしなかった場合は，人事委員会又は公平委員会は，60日を超えない範囲内で登録の効力の停止し，又は登録を取り消すことができる（法53⑥）。登録の効力を停止しようとする場合，人事委員会又は公平委員会は，その理由を示してあらかじめ弁明の機会を与えなければならない（行政手続法13①Ⅱ，14）。また，登録の取消しをしようとする場合，人事委員会又は公平委員会は，理由を示して聴聞の手続を取らなければならず（行政手続法13①Ⅰ，14），職員団体から請求があった場合，公開で聴聞を行わなければならない（法53⑦）。更に，取消しの訴えを提起できる期間内及びその訴訟が継続する間は，登録の取消しの効力を生じない（法53⑧）。そして，職員団体は，登録の取消しについて行政不服審査法による審査請求をすることはできない（行政手続法27）。

4　職員による労働組合

地方公営企業の職員，特定地方独立行政法人の職員及び単純労務職員は，労働組合法に基づく労働組合を組織することができる（地公労法4，5①，附則⑤，地公企法39①，地方独法53①Ⅰ）。この労働組合は，労働条件の維持改善その他経済的地位の向上を図ることを主たる目的として組織する団体又はその連合体をいう（労組法2）。副次的に社交的，政治的な目的を併せ持つことは可能である。また，少数の第三者が加入していてもよく，異なる地方公共団体をまたがって組織することも差し支えない。労働組合は，オープン・ショップ制を採らなければならない（地公労法5①）。また，使用者の利益を代表する職員が参加する団体は，労働組合とはいえない（労組法2）。労働組合は，労働組合法の規定に適合する旨の労働委員会の証明を受け，登記することによって法人となる（労組法11①）。

95 労務交渉（地方公務員法上の交渉）

地公法 55

1 意 義

職員が組織する職員団体は，給与，勤務時間その他の勤務条件に関し，地方公共団体の当局と交渉を行うことができる（法55①)。地方公営企業の職員，特定地方独立行政法人の職員又は単純労務職員が組織する労働組合もまた，権限ある当局と団体交渉を行うことが認められている（地公労法4，労組法6）。

このように，労務交渉には「地方公務員法上の交渉」と「団体交渉」との２種がある。基本的な交渉の手続，方法等については，ほぼ同じであるが，職員団体の交渉権には団体協約を締結する権限が含まれていない（法55②）ため，団体交渉と区別されている。これは，職員の勤務条件は，原則として条例で定められる（法24⑤）のに対し，地方公営企業の職員等の給与については，その種類と基準を条例で定めることとされ（地公企法38④)，労働条件については，原則として労働協約を締結することができる（地公労法7）からである。

2 地方公務員法上の交渉

（1） 交渉の当事者　一方の当事者である地方公共団体の当局とは，交渉事項について適法に管理し，又は決定することができる者（法55④）である。通常は，任命権者そのものであるが，権限の委任を受けた者，これを代理する者等である場合もある。

他方の当事者である職員団体についてであるが，まず，登録職員団体からの適法な交渉の申入れは，当局をして交渉に応じる地位に立つことを義務づける（法55①)。非登録職員団体との交渉は，当局を義務づけてはいないが，交渉能力そのものは登録職員団体と同じであると解されるので，当局は職員の勤務条件の維持改善のために望ましいと思われる場合は，できるだけ交渉に応じるべきである。職員団体以外の労働団体との交渉は，地方公務員法上の交渉ではなく，話し合いの性格を持つものである。

（2） 交渉事項　職員の給与，勤務時間その他の勤務条件及びこれに附帯する社交的又は厚生的活動に係る事項が交渉事項となる（法55①）。勤務条件とは，「職員が地方公共団体に対し勤務を提供するについて存する諸条件で，職員が自己の勤務を提供し，又はその提供を維持するかどうかの決心をするに当たり一般的に当然考慮の対象となるべき利害関係事項」である（行実昭35.9.19）。

地方公共団体の事務の管理及び運営に関する事項，いわゆる管理運営事項は交渉の対象とすることができない（法55③）。地方公共団体の機関がその本来の職務又は権限として，法令等に基づき，専ら自らの判断と責任により執行すべき事務が管理運営事項である。しかし，実際問題としては，管理運営事項と職員の勤務条件とは密接な関係を持つ場合が少なくないので，注意を要する。

（3） 交渉の方法　地方公共団体の当局と職員団体とが交渉を行うに当たっては，あらかじめ交渉に当たる者の員数，議題，時間，場所その他必要な事項を取り決めるものとされている（法55⑤）。予備交渉である。

交渉に当たる者は，地方公共団体の当局が指名する者と職員団体がその役員の中から指名する者とである（法55⑤）。当局は，任命権者又はその部下職員であるが，民法の委任又は準委任（民法643，656）の規定により，職員以外の者を指名することもできると解される。

職員団体は，その役員以外の者を指名することができる（法55⑥）。これは，特別の事情があるときであり，指名を受けた者は，交渉の対象である特定の事項について交渉する適法な委任を当該職員団体の執行機関から受けたことを文書によって証明できる者でなければならない（法55⑥）。

（4） その他　予備交渉で定める条件に反する状態が生じたとき，適法な指名を受けた者以外のものが出席してきたとき，交渉が他の職員の職務の遂行を妨げ，又は地方公共団体の事務の正常な運営を阻害することとなったときは，交渉を打ち切ることができる（法55⑦）。

なお，適法な交渉は，勤務時間中においても行うことができる（法55⑧）。

3　交渉の結果

職員団体は，地方公共団体の当局との交渉の結果，合意に達した事項について，法令等に抵触しない限りにおいて書面による協定を結ぶことができる（法55⑨）が，これには法的拘束力はないものとされている。

96 労務交渉（団体交渉）

地公法 55

1　団体交渉

（1）　交渉の当事者　　原則として，地方公務員法上の交渉の場合と同じである。地方公営企業の職員の労働条件は，管理者の権限（地公企法９Ⅱ）なので，当局は，地方公営企業の管理者又はその委任する者である。労働組合は，労働組合の代表者又はその委任を受けた者である（労組法６）。

（2）　交渉事項　　管理運営事項を除き，次の各事項が団体交渉の対象となる（地公労法７）。

①　賃金その他の給与，労働時間，休憩，休日及び休暇に関する事項

②　昇職，降職，転職，免職，休職，先任権及び懲戒の基準に関する事項

③　労働に関する安全，衛生及び災害補償に関する事項

④　前三号に掲げるもののほか，労働条件に関する事項

これらのほか，苦情処理共同調整会議の組織その他苦情処理に関する事項も対象となる（地公労法 13②）。

（3）　交渉の方法　　労働組合から団体交渉の申入れを受けた地方公共団体の当局は，これに応じる義務を負う。正当な理由がなくこれに応じないときは，不当労働行為（労組法７Ⅱ）となり，労働組合が労働委員会に申立てをし，労働委員会は，審問を行い（労組法 27①），申立てに理由があると認めるときは救済のための命令を発しなければならない（労組法 27の 12）。

（4）　労働関係の調整　　団体交渉によっても合意に達せず，紛争が発生し，又は発生するおそれがある場合には，紛争をできるだけ防止し，かつ，主張の不一致を友好的に調整するために，最大限の努力を尽さなければならない（地公労法２）のである。しかし，自主的解決の見込みがないときなどは，労働委員会が中心となって，斡旋（あっせん），調停又は仲裁の手続をとることができる。

①　斡旋　　労働委員会の会長は，当事者の双方若しくは一方の申請又

は自らの職権に基づいて，斡旋員を指名し，斡旋員による事件の解決に努めなければならない（労調法12，13）。

② 調停　労働委員会は，当事者の双方又は一方からの申請，自らの職権，厚生労働大臣又は都道府県知事の請求等（地公労法14）により，関係当事者双方の意見を徴して紛争を調整し，事件の解決に当たるものである（労調法18，24）。労働者，使用者及び公益のそれぞれを代表する調停委員から成る調停委員会が設けられ，調停案が作成され（労調法19，26①），それを労使双方が受諾することにより成立する。

③ 仲裁　労働委員会は，当事者双方又は一方からの申請，労働委員会の決議，厚生労働大臣又は都道府県知事の請求等により，仲裁を行うが（地公労法15），仲裁裁定に対しては，当事者は，双方とも最終的決定としてこれに服従しなければならず，また，地方公共団体の長は，当該仲裁裁定が実施されるように，できる限り努力しなければならないとされている（地公労法16②）。仲裁は，労働委員会の公益を代表する委員又は特別調整委員の中から3名以上の奇数の仲裁委員を選んで仲裁委員会を設けて行われる（労調法31，31の2）。仲裁裁定は，効力発生の期日を記した書面により行われる（労調法33）。仲裁裁定は，労働協約と同一の効力を有し（労調法34），これと条例，規則その他の規程又は予算との関係は，労働協約の場合と同様である（地公労法16②，③）。

2　交渉の結果

労働組合は，労働協約を結ぶことができる（地公労法7）。これは一定の法的拘束力を当事者双方に及ぼす。条例，規則その他の規程に抵触する内容の労働協約（正確には，労働協約以前の「協定」とされている。）が結ばれたときは，地方公共団体の長は，条例，規則その他の規程の改正又は廃止のための措置（地公労法8，9），予算上資金上必要な措置（地公労法10）をとらなければならない。

97 書面による協定と労働協約

地公法55②，⑨，⑩

1　概　要

地方公共団体の当局と職員団体との交渉の結果，両者の意見が合致したときは，法令，条例，地方公共団体の規則及び地方公共団体の機関の定める規程に抵触しない限りにおいて書面による協定を結ぶことができる（法55⑨）。これを「書面による協定」と呼び，この協定については，両者は誠意と責任をもって履行しなければならないものとされている（法55⑩）。

また，地方公営企業の職員，特定地方独立行政法人の職員又は単純労務職員が組織する労働組合は，賃金その他の給与，労働時間等団体交渉の対象となる事項について当局との間に，労働協約を締結することができる（地公労法7）。この労働協約は，労働組合法14条に定める「労働協約」であり，これに関する同法の規定が適用される。

2　書面による協定の意義

職員団体と地方公共団体の当局との交渉は，団体協約を締結する権利を含まないものとされている（法55②）が，書面による協定が締結できるとされている。

地方公務員法は，職員の団体交渉権を否認しているが，給与，勤務時間その他の勤務条件に関しては適法な交渉ができることとしている（法55①）。交渉は，一定の合意に達することを目的として行われるのであり，合意に達した事項については，正確な記録による理解とその誠実な履行とを必要とすることはいうまでもない。しかし，これに法的拘束力等「労働協約」と同等の効力を認めなかったのは，職員の勤務条件については条例で定めることとされ（法24⑤），その実現については議会が議決する予算に負うところが大きいからであるといえる。

3　労働協約の意義

地方公営企業の職員，特定地方独立行政法人の職員又は単純労務職員は，労働組合を結成することができる（地公労法4，5①，附則⑤，地公企法39①，地方独法53①）。労働組合は，地方公営企業の管理者等権限を有する者と団体交渉を行い，労働協約を締結することができる（地公労法７）。

これは，一般職員と異なり，地方公営企業の職員，特定地方独立行政法人の職員又は単純労務職員は，地方公営企業が企業としての経済合理性を要請されていること，また，従事する職務内容が民間企業の労働者に類似しており，労働条件の決定について民間企業の労働者とほぼ同じ取扱いをすることが妥当であると考えられたからである。

４ 書面による協定と労働協約の効力

（１） 書面による協定　法令等の範囲内で締結された書面による協定は，誠意と責任をもって履行しなければならない（法55⑩）という道義的責任を生じるが，法的拘束力又は法的責任はないとされる。

例えば，給与を改善することを協定した場合，これには関係条例案を議会に提出すること及びこれを議会が議決することの措置が必要である。後者については，書面による協定の範囲外であり，前者を当局が履行しない場合に問題になるが，条例案の提出を法的に強制することはできないと解されている。なお，当局の権限に属する事項を履行しない場合に，職員団体が損害を受けたときは，司法的救済を受けることが可能であろう。

（２） 労働協約　地方公営企業等の労働関係に関する法律７条は，労働協約の締結できる事項を定めているが，労働協約は，書面の作成，両当事者の署名又は記名押印によって効力を生じる（労組法14）。労働協約は３年を超える有効期間を定めることができず，有効期間の定めのない労働協約は，90日前までに文書で予告することにより解約できる（労組法15）。

労働協約には，これに違反する労働契約の部分を無効とする，いわゆる規範的効力がある（労組法16）。また，一の事業場に常時使用されている職員の４分の３以上の数を占める者が一の労働協約の適用を受けるに至ったときは，他の職員にも適用される，いわゆる一般的拘束力がある（労組法17）。

条例に抵触する内容の労働協約は，条例の改正又は廃止がなければ，条例に抵触する限度で効力を生じない（地公労法８）。予算についても同様である（地公労法10）。住民の代表機関である議会が定める条例や予算を優先させているからである。しかし，規則その他の規程に対しては労働協約が優先する（地公労法９）。

98 職員団体のための職員の行為の制限

地公法 55 の 2

1 概 要

職員は，その勤務時間及び職務上の注意力のすべてを職責遂行のために用い，当該地方公共団体がなすべき責を有する職務にのみ従事しなければならない（法 35）。職務専念の義務である。したがって，職員が職員団体のために活動することには，一定の制限がある。

職員が職員団体の業務に専ら従事することは禁止される（法 55 の 2①）。在籍専従の禁止である。しかし，例外的に一定の条件の下に在籍専従制度が認められる（法 55 の 2①ただし書）。

また，在籍専従職員以外の職員が，勤務時間中に組合活動をすることは禁止されているが，条例で定める場合には認められる（法 55 の 2⑥）。組合休暇と呼ばれる。

2 在籍専従

在籍専従は原則として禁止されている。しかし，任命権者の許可を受けて，登録を受けた職員団体の役員として専従する場合に限っては認められる（法 55 の 2①）。この許可は，任命権者が相当と認める場合に，有効期間を定めて与えることができる（法 55 の 2②）。

在籍専従の期間は，当分の間，職員としての在職期間を通じて 7 年以下の範囲内で人事委員会規則又は公平委員会規則で定める期間である（法 55 の 2③，附則 20）。登録を受けた職員団体の役員として専ら従事する者でなくなったときは，在籍専従の許可は取り消される（法 55 の 2④）。

在籍専従職員の身分は休職者とし，在籍専従職員に対しては，いかなる給与も支給しない。また，在籍専従の期間は，退職手当の算定の基礎となる勤続期間に算入されない（法 55 の 2⑤）。これは，地方公共団体が職員団体に財政的援助を行うことになり，支配介入のおそれがあるからである。また，ノーワーク・ノーペイの原則からも給与は支給すべきでなく，退職手当についても公務に従事しない期間を算入するのは不合理であるからである。

なお，在籍専従者も職員としての身分を保有しているので，秘密を守る義務など身分の保有に伴う服務規律に従わなくてはならない。また，任命権者は，在籍専従者に対しても分限処分や懲戒処分を行うことができる。

3　組合休暇

職務専念義務を負う職員は，条例で定める場合を除き，給与を受けながら，職員団体のためその業務を行い，又は活動してはならない（法55の2⑥）。しかし，職員団体の運営のために不可欠な業務又は活動に従事する必要がある場合には，最小限の休暇を与えることは公益の見地から認められる。地方公務員法もまた，必ずしもこれを禁止することなく，条例で定める場合の例外を定めている（法55の2⑥）。この条例は「特例条例」と呼ばれ，組合休暇は職務専念義務の免除（職免）を承認する措置で行われるが，原則として無給である。

4　その他の活動

職員が給与を受けながら組合活動を行うことが認められるのは，一般に，適法な交渉（法55）を行う場合である。また，休日，年次有給休暇及び休職の期間である。年次有給休暇は，本来，労働力の維持培養を図ることを目的とするものであるが，休暇の利用目的が休養のためでないという理由で使用者がこれを承認しないことは許されない。したがって，年次有給休暇中に組合活動を行うことは許される。しかし，この年次有給休暇が，地方公務員法37条で禁止されている争議行為の一形態としての休暇戦術となる場合は，休暇の承認を与える必要はないとされている（最判昭48.3.2）。

99 不利益取扱いの禁止

地公法56

1 意 義

職員は，職員団体の構成員であること，職員団体を結成しようとしたこと，若しくはこれに加入しようとしたこと又は職員団体のために正当な行為をしたことの故をもって不利益な取扱いを受けることはない（法56）。

この規定は，労働組合法7条が定める趣旨と同じである。すなわち，同条は使用者が労働組合に対して一定の行為をすることを不当労働行為として禁止しているが，地方公務員法56条はこれに対応した規定である（通知昭26.1.10）。

禁止される「不利益な取扱い」とは，免職，降任，停職，減給などの処分のほかに，職員の身分取扱い上のすべての不利益な措置をいうものとされている。したがって，「不利益な処分」（法49）よりも範囲が広く，昇給・昇格の延伸のような措置も含まれると解されている。

2 団結権の保障

職員は全体の奉仕者として，憲法に定める労働基本権について，一定の制約を受けるのであるが，団結する権利についてはほぼ完全に認められている。

団結権を保障するための法的保護としては，労働組合法7条がある。使用者がしてはならない不当労働行為として，次に掲げる行為など四つの行為が定められている。

労働者が労働組合の組合員であること，労働組合に加入し，若しくはこれを結成しようとしたこと若しくは労働組合の正当な行為をしたことの故をもって，その労働者を解雇し，その他これに対して不利益な取扱いをすること又は労働者が労働組合に加入せず，若しくは労働組合から脱退することを雇用条件とすること（労組法7Ⅰ）。

このことによって，労働者が使用者と対等の立場に立つために必要とされる団結の権利を法的に保障しようとするものであるが，地方公務員法も職員団体の結成等について，同旨の定めをしたものである。

3　不利益取扱いの判断基準

不利益取扱いの禁止は，職員の労働基本権の行使を保障しようとするものなので，禁止される不利益取扱いには職員団体の合法的な活動を阻害しようとする任命権者の意図がなければならない。これは，任命権者の主観的な意思に基づくものばかりでなく，客観的にその意思が推定されればよい。要するに，他に特段の事情がないにもかかわらず，不利益な扱いをした事実があれば，本条の禁止に該当することになる。

もちろん，任命権者が合法的な職員団体の活動を阻害する意図がなく，他に理由があって行われる不利益取扱いは禁止されない。

4　不利益取扱いの例

（1）　職員団体が結成されるや，適法な申請にもかかわらず，登録を拒否し，同組合員を本庁から遠く離れた出張所に配転をしたなどの背景があり，当該職員を一般職員から消防職員に任命した処分（青森地判昭44.1.31）。職員団体に加入できない消防職員に任命することにより，職員団体から排除するものとされた。

（2）　昇格延伸の決定的理由は，原告が組合幹部として積極的に組合活動に従事してきたことにあると認めざるを得ない（水戸地裁土浦支部判決昭51.9.7）。

5　不利益取扱いでない例

教職員の定期異動に際し，学校転任処分は勤務評定書提出拒否闘争に対する報復の意図で行われたとの主張は，特にその意図を認められないだけでなく，同闘争全般の中で占める原告らの活動の程度，原告らの主張する不利益等勘案してもこれを認めることはできない（熊本地判昭40.1.20）。

⑩⓪ 単純労務職員，運営の状況等の公表

地公法 57，58 の 2，58 の 3

1　単純労務職員の範囲

地方公務員は，任用の性質等種々の観点から分類されるが，その一つとして，職務に応じた身分取扱いをする必要があるので，職務の種類による分類が行われている。すなわち，単純労務職員は，その職務と責任の特殊性に基づいて地方公務員法の特例を必要とするものに，公立学校の教職員とともに例示されている（法 57）。

しかし，現在のところ単純労務職員の範囲を定める法令はない。したがって，職員が単純労務職員に該当するかどうかは，その者の職務及び責任の実態に基づいて判断すべきであるとされている（行実昭 37.3.23）が，具体的な範囲は，「単純な労務に雇用される一般職に属する地方公務員の範囲を定める政令（昭 26 政令 25）……現在は失効」では，守衛，清掃夫，自動車運転手等のうち，技術者，監督者及び行政事務を担当する者以外のものをいうとされている。

2　一般職員との異同

単純労務職員について，一般職員と異なる取扱いが行われている規定のうち，主なものは，次のとおりである。

（1）「人事委員会及び公平委員会並びに職員に関する条例の制定」（法 5）についての規定は，適用しない（地公労法附則⑤，地公企法 39 ①）。

（2）「人事委員会又は公平委員会の権限」（法 8）についての規定は，競争試験及び選考に関する部分を除き，適用しない（地公労法附則⑤，地公企法 39 ①）。

（3）「給与，勤務時間その他の勤務条件」（法 24～26）についての規定は適用せず，給与の種類と基準のみを条例で定め，具体的内容は労働協約又は就業規則で定める（地公労法附則⑤，地公企法 38，39 ①）。

（4）「修学部分休業」（法 26 の 2）及び「高齢者部分休業」（法 26 の 3）についての規定は，適用しない（地公労法附則⑤，地公企法 39 ①）。

（5）「政治的行為の制限」（法 36）についての規定は，適用しない（地

公労法附則⑤，地公企法39②）。

（6）「研修についての人事委員会の勧告」（法39④）についての規定は，適用しない（地公労法附則⑤，地公企法39①）。

（7）「勤務条件に関する措置の要求」（法46〜48）についての規定は，適用しない（地公労法附則⑤，地公企法39①）。

（8）「不利益処分に関する説明書の交付」についての規定（法49）は適用せず（地公労法附則⑤，地公企法39①），それに伴う「審査請求」についての規定（法49の2〜51の2）も，適用しない。

（9）「他の法律の適用除外」（法58）についての規定は適用しない。すなわち，労働協約締結権を有し，勤務条件条例主義の適用がない単純労務職員については，一般職員には適用除外となる労働基準法2条（労働条件の決定）が全面的に適用される等である（地公労法附則⑤，地公企法39①）。

（10）「育児休業をしている職員の給与等の取扱い」（育休法4②，7，8），「育児短時間勤務職員の給与等の取扱い」（育休法14，15）及び「育児休業の部分休業」（育休法19）についての規定は，適用しない（地公労法附則⑤，地公企法39①））。

3　人事行政の運営の状況等の公表

地方公共団体において，行政情報を提供し，住民の理解を得ることは重要である。そこで，任命権者は，毎年，地方公共団体の長に対し，職員（臨時的に任用された職員及び非常勤職員（短時間勤務の再任用職員を除く。）を除く。）の任用，人事評価，給与，勤務時間その他の勤務条件，休業，分限及び懲戒，服務，退職管理，研修並びに福祉及び利益の保護等人事行政の運営の状況を報告しなければならない（法58の2①）とされている。また，同様にして，給料表の等級及び職制上の段階ごとに，職員の数を報告しなければならない（法58の3①）。

人事委員会又は公平委員会は，毎年，地方公共団体の長に対し，業務の状況を報告しなければならない（法58の2②）。

地方公共団体の長は，毎年，それらの報告を取りまとめ，人事行政の運営状況の報告の概要，給料表の等級等ごとの職員数の報告及び人事委員会（公平委員会）の業務状況の報告を公表しなければならない（法58の2③，58の3②）。

101 総務省の協力及び助言

地公法 59

1　人事行政運営の原則

地方公共団体の人事行政は，地方公務員法によって確立される地方公務員制度の原則に沿って運営されねばならない。同法の目的としている地方公務員制度は，民主的かつ能率的な近代的公務員制度である。すなわち，現行法は，旧制度における前近代的な理念（例えば，戦前の官公吏は天皇に対して忠実無定量の奉仕関係にあった。）を根本からぬぐいさるとともに，技術的には科学的な人事行政制度を採り入れたものである。具体的には，①　全体の奉仕者としての地方公務員，②　勤労者としての地方公務員，③　成績主義（メリット・システム）の確立，④　地方公務員の政治的中立性の確保，⑤能率性である。したがって，近代的地方公務員制度の根底にある民主的な理念を十分に理解し，併せてそれに内在する高度の専門的技術に習熟する必要がある。そして，それがまた，地方公務員法の目的とする地方公共団体の行政の民主的かつ能率的な運営を保障するバックボーンとなり，地方自治の本旨の実現に資することにもなるのである。

2　総務省の協力，助言

総務省は，地方公共団体の人事行政の運営に関し，協力及び技術的助言をすることができる（法59）。その理由として次の３点が考えられる。第1は，ひとり地方公共団体のみの判断によって人事行政に関する条例や人事委員会規則等が制定される場合には，地方公務員制度の各所に不均衡を生じるおそれがある。それは，地方公共団体の民主的かつ能率的な行政運営を阻害し，ひいては職員の利益保護にも困難をきたすことになる。第2は，国政の大部分は法定受託事務等地方公共団体の行政を通じて実施され，その地方公共団体の行政は人事行政の運営によって大きく左右されるので，国としても重大な関心を寄せている事項だからである。第３は，近代的地方公務員制度の理念及び技術の理解を地方公共団体のみにゆだねると，適切かつ合理的な地方公務員制度の確立及び人事行政の運営には，相当の長期間を要すると考えられたからでもある。

3　他の法律における国の協力，助言

地方自治法においては，内閣総理大臣又は各省大臣は，その担任する事務に関し，普通地方公共団体に対し，その事務の運営等について適切と認める技術的な助言又は勧告をすることができると規定している（自治法245の4①）。この規定は，国と地方公共団体との基本的関係は有機的な協力関係であるべきだ，との理念を受けて，国の地方公共団体に対する基本的な援助協力に関して規定したものである。この規定にいう運営とは，例えば，事業の効率的執行，公の施設の合理的な配置，事務処理方式の能率化，経費の節約等により，住民の福祉の増進及び事務処理の能率化に努めること等をいう。地方公務員法に規定する協力及び技術的助言は，地方自治法に規定する総務大臣の職責のうち，人事行政という専門的部分に属する事項に関する職責について特別に規定したものであると考えられる。

同様の規定として，住居表示に関する法律10条は総務大臣の助言・勧告等を，住民基本台帳法31条は主務大臣の助言・勧告等を，自然環境保全法49条2項は環境大臣の助言・勧告等を，都市計画法24条は都市計画に関する国土交通大臣の指示等を，また，地方教育行政の組織及び運営に関する法律48条は教育事務に関する文部科学大臣の指導・助言等を，同法50条は文部科学大臣の是正等の指示をそれぞれ規定しており，それらは広範囲にわたっている。

4　協力及び技術的助言の具体例

協力及び技術的助言とは，援助し協力するために行われる非権力的な関与の態様であり，適切と認める客観的に妥当性のある行為又は措置を実施するように促したり，実施するに当たり必要な事項を示したりすることである。また，技術的とは，主観的な判断又は意思等を含まないことを意味する。

具体的には，条例や人事委員会規則等の準則を提示すること，地方公務員法の解釈，疑義に対して行政実例の形で回答すること，地方公務員制度の運営の実情に関する情報を各地方公共団体へ提供すること等がある。

主要参考文献

新版逐条地方公務員法〈第５次改訂版〉	橋本　勇著	学陽書房
地方公務員法実例判例集〈第５次改訂版〉	自治省公務員部公務員課編	第一法規
自治体職員研修講座 地方自治制度・地方公務員制度・地方財政制度〈第３次改訂版〉	川村　毅著	学陽書房

■執筆者紹介

米川謹一郎（よねかわきんいちろう）
元東京都地方労働委員会事務局長

犬飼　治（いぬかい おさむ）
元東京都中野区企画部広聴課長

須々木亘平（すすき こうへい）
元東京都総務局統計部長

横田　明博（よこた あきひろ）
元東京都練馬区区民部長

試験・実務に役立つ！
地方公務員法の要点　第11次改訂版

昭和55年７月20日　初　版　印　刷
平成元年５月25日　第１次改訂版発行
平成４年８月10日　第２次改訂版発行
平成８年５月10日　第３次改訂版発行
平成10年８月10日　第４次改訂版発行
平成11年12月24日　第５次改訂版発行
平成12年12月25日　第６次改訂版発行
平成14年６月25日　第７次改訂版発行
平成17年８月15日　第８次改訂版発行
平成28年３月18日　第９次改訂版発行
平成30年４月18日　第10次改訂版発行
令和４年３月16日　第11次改訂版発行

編著者　米川謹一郎
発行者　佐久間重嘉

学陽書房
東京都千代田区飯田橋１－９－３
（編集）TEL 03（3261）1112
（営業）TEL 03（3261）1111
http://www.gakuyo.co.jp/

Printed in Japan　印刷／加藤文明社　製本／東京美術紙工
ISBN 978-4-313-20942-8　C 2332
乱丁・落丁本は，送料小社負担にてお取り替えいたします。

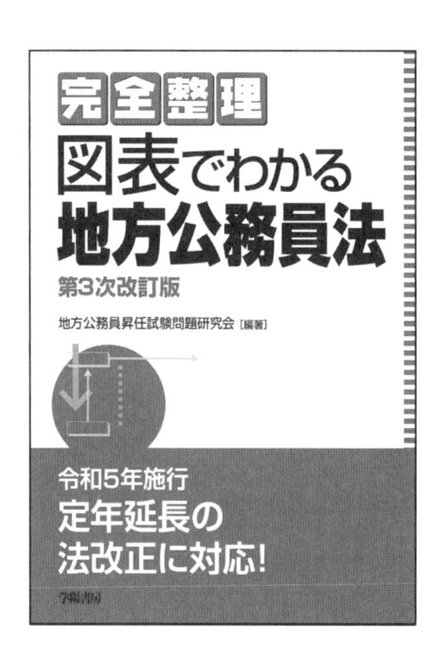
完全整理
図表でわかる
地方公務員法
第3次改訂版
地方公務員昇任試験問題研究会［編著］
令和5年施行
定年延長の
法改正に対応!
学陽書房

これで完璧
地方公務員法
200問
〈第4次改訂版〉
地方公務員昇任試験問題研究会［編著］
令和5年に施行される
定年延長の
法改正に対応！
役職定年・定年前再任用短時間勤務制等の
新規問題を収録！
学陽書房